孔子学院总部/国家汉办
Confucius Institute Headquarters(Hanban)

M000274698

标准教程
STANDARD
COURSE

HSK

主编： 姜丽萍
LEAD AUTHOR: Jiang Liping

编者： 王枫、刘丽萍、王芳
AUTHORS: Wang Feng, Liu Liping, Wang Fang

2

孔子学院总部/国家汉办
Confucius Institute Headquarters(Hanban)

北京语言大学出版社
BEIJING LANGUAGE AND CULTURE
UNIVERSITY PRESS

序

　　2009年全新改版后的HSK考试，由过去以考核汉语知识水平为主，转为重点评价汉语学习者运用汉语进行交际的能力，不仅在考试理念上有了重大突破，而且很好地适应了各国汉语教学的实际，因此受到了普遍欢迎，其评价结果被广泛应用于汉语能力的认定和作为升学、就业的重要依据。

　　为进一步提升孔子学院汉语教学的水平和品牌，有必要建立一套循序渐进、简便易学、实用高效的汉语教材体系和课程体系。此次经国家汉办授权，由汉考国际（CTI）和北京语言大学出版社联合开发的《HSK标准教程》，将HSK真题作为基本素材，以**自然幽默的风格、亲切熟悉的话题、科学严谨的课程设计**，实现了与HSK考试内容、形式及等级水平的全方位对接，是一套充分体现考教结合、以考促学、以考促教理念的适用教材。很高兴把《HSK标准教程》推荐给各国孔子学院，相信也会对其他汉语教学机构和广大汉语学习者有所裨益。

　　感谢编写组同仁们勇于开拓的工作！

许　琳

孔子学院总部　总干事

中国国家汉办　主　任

2013年11月16日

前言

自2009年国家汉办推出了新汉语水平考试（HSK）以来，HSK考生急剧增多。2012年全球HSK考生人数达到31万人，2013年第一季度已达7万人左右。随着汉语国际教育学科的不断壮大、海外孔子学院的不断增加，可以预计未来参加HSK考试的人员会越来越多。面对这样一个庞大的群体，如何引导他们有效地学习汉语，使他们在学习的过程中既能全方位地提高汉语综合运用能力，又能在HSK考试中取得理想成绩，一直是我们思考和研究的问题。编写一套以HSK大纲为纲，体现"考教结合"、"以考促教"、"以考促学"特点的新型汉语系列教材应当可以满足这一需求。在国家汉办考试处和北京语言大学出版社的指导下，我们结合多年的双语教学经验和对汉语水平考试的研究心得，研发了这套新型的考教结合系列教材《HSK标准教程》系列（以下简称"教程"）。

一、编写理念

进入21世纪，第二语言教学的理念已经进入后方法时代，以人为本，强调小组学习、合作学习，交际法、任务型语言教学、主题式教学成为教学的主流，培养学习者的语言综合运用能力成为教学的总目标。在这样一些理念的指导下，"教程"在编写过程中体现了以下特点：

1. 以学生为中心，注重培养学生的听说读写综合运用能力

"考教结合"的前提是为学生的考试服务，但是仅仅为了考试就会走到应试的路子上去，这不是我们编教的初衷。如何在为考试服务的前提下重点提高学生的语言能力是我们一直在探索的问题，也是本套教材的特色之一。以HSK一、二级为例，这两级的考试只涉及听力和阅读，不涉及说和写，但是在教材中我们从一级开始就进行有针对性的语音和汉字的学习和练习，并且吸收听说法和认知法的长处，课文以"情景＋对话＋图片"为主，训练学生的听说技能。练习册重点训练学生的听力、阅读和写的技能，综合起来培养学生的听说读写能力。

2. 融入交际法和任务型语言教学的核心理念

交际法强调语言表达的得体性和语境的作用，任务型语言教学强调语言的真实性和在完成一系列任务的过程中学习语言，两种教学法都强调语言的真实和情境的设置，以及在交际过程中培养学生的语言能力。HSK考试不是以哪一本教材为依据进行的成绩测试，而是依据汉语水平考试大纲而制定的，是考查学习者语言能力的能力测试。基于这样的认识，"教程"编写就不能像以往教材那样，以语言点为核心进行举一反三式的重复和训练，这样就不能应对考试涉及的方方面面的内容，因此我们在保证词语和语法点不超纲的前提下，采取变换情境的方式，让学习者体会在不同情境下语言的真实运用，在模拟和真实体验中学习和习得汉语。

3. 体现了主题式教学的理念

主题式教学是以内容为载体、以文本的内涵为主体所进行的一种语言教学活动，它强调

内容的多样性和丰富性，一般来说，一个主题确定后，通过接触和这个主题相关的多个方面的学习内容，加速学生对新内容的内化和理解，进而深入探究，培养学生的创造能力。"教程"为了联系学生的实际，开阔学生的视野，从四级分册开始以主题引领，每个主题下又分为若干小主题，主题之间相互联系形成有机的知识网络，使之牢固地镶嵌在学生的记忆深处，不易遗忘。

二、"教程"的特色

1．以汉语水平考试大纲为依据，逐级编写"教程"

汉语水平考试（HSK）共分六个等级，"教程"编教人员仔细研读了"大纲"和出题指南，并对大量真题进行了统计、分析。根据真题统计结果归纳出每册的重点、难点、语言点、话题、功能、场景等，在遵循HSK大纲词汇要求的前提下，系统设计了各级别的范围、课时等，具体安排如下：

教材分册	教学目标	词汇量（词）	教学时数（学时）
教程1	HSK（一级）	150	30–34
教程2	HSK（二级）	300	30–36
教程3	HSK（三级）	600	35–40
教程4（上/下）	HSK（四级）	1200	75–80
教程5（上/下）	HSK（五级）	2500	170–180
教程6（上/下）	HSK（六级）	5000 及以上	170–180
总计：9册		5000 以上	510–550

这种设计遵循汉语国际教育的理念，注重教材的普适性、应用性和实用性，海内外教学机构可根据学时建议来设计每册书完成的年限。比如，一级的《教程1》规定用34学时完成，如果国内周课时是8课时的话，大概一个月左右就能学完；在海外如果一周是4课时的话，就需要两个月的时间能学完。以此类推。一般来说，学完《教程1》就能通过一级考试，同样学完《教程2》就能通过二级考试，等等。

2．每册教材配有练习册，练习册中练习的形式与HSK题型吻合

为了使学习者适应HSK的考试题型，教材的各级练习册设计的练习题型均与HSK考试题型吻合，从练习的顺序到练习的结构等都与考题试卷保持一致，练习的内容以本课的内容为主，目的是学习者学完教材就能适应HSK考试，不需额外熟悉考试形式。

3．单独设置交际练习，紧密结合HSK口试内容

在HSK考试中，口试独立于笔试之外，为了培养学生的口语表达能力，在教程中，每一课都提供交际练习，包括双人活动和小组活动等，为学习者参加口试提供保障。

本套教程在策划和研发过程中得到了孔子学院总部/国家汉办、北京语言大学出版社和汉考国际（CTI）的大力支持和指导，是全体编者与出版社总编、编辑和汉办考试处、汉考国际命题研发人员集体智慧的结晶。本人代表编写组对以上机构和各位参与者表示衷心的感谢！我们希望使用本教程的师生，能够毫无保留地把使用的意见和建议反馈给我们，以便进一步完善，使其成为教师好教、学生好学、教学好用的好教程。

姜丽萍

2013年11月

本册说明

《HSK标准教程2》适合学习过30~34学时，掌握150个左右汉语词，准备参加HSK（二级）考试的汉语学习者使用。具体使用说明如下：

全书共15课，各课均围绕一个任务主题分四个场景展开，每课生词平均10~15个，语言点2~4个。二级教程编写严格遵循HSK（二级）大纲规定的300词，包括一级的150词。本册教程只有14个超纲词（在书中用"*"标识），而且这些超纲词基本都是三级的词语。每课建议授课时间为2~3学时。

作为系列教材的第二本，本教材继承了《HSK标准教程1》的编写思路和体例，并在难度和深度上各有所增加。

教程每课均设置热身、课文（含生词）、注释、练习、语音、汉字、运用几个部分；每5课设置一个文化板块，作为课文部分的延伸阅读，介绍相关的文化背景知识。

1. **热身**。这一部分分为两个板块。第一板块主要使用图片进行本课重点词语、短语的导入，目的是调动学习者的学习热情和兴趣。第二板块的形式则较为灵活，有词语和图片的匹配，也有词语搭配，目的是引导学习者对本课主题进行讨论，激发学习者的表达兴趣，并为新课的教学做好引入和铺垫。

2. **课文**。每课课文包含四个不同的场景，每个场景有两个话轮。承袭了一级教材课文的编写思路，将体现生词和主要语言点的目标句以及HSK（二级）考试真题句编入课文对话，在不同场景下进行复现。大量的真题句和场景变换，可以为学习者参加HSK（二级）考试打下丰富的话题基础。

3. **注释**。本教程弱化语法，语言点讲解采用注释的方式，多用表格形式展示，力求简捷、清楚、易学、难忘。每个语法项目的解释只涉及本课课文中的用法，并从易到难搭配例句，其中变颜色的例句为该语言点在课文中的原句。采用注释的方式处理语言点，一方面希望减少汉语初学者的学习压力和畏难情绪，另一方面也贯彻了本教材以练代讲、多练少讲的原则。

4. **练习**。练习环节安排在每课注释之后。练习的内容为本课新学的语言点和重点词语，目的是使当天学习的内容能得到及时强化，并训练学生的听说能力和语言交际能力。练习形式主要有回答问题、图片描述、完成句子、小组活动等，这些练习形式也与HSKK初级口语考试题型相吻合，也在为学习者的口语考试做铺垫。练习采用比较直观的方式，这个环节教师可以灵活安排，可以在课文讲练之后进行，也可以在语法解释完以后进行，还可以在本课小结时用来检测学习者的学习情况。

5. **语音**。语音部分第1课到第7课主要解决重音的问题。介绍双音节、三音节和四音节词语的重音，以及句子的语法重音和逻辑重音。教学时建议以语音辨析训练为主，不必逐词讲解词义，学习者能够掌握正确的发音即可。第8课到第15课主要介绍汉语的句调，并具体介绍了陈述句、祈使句、疑问句、感叹句等句子的句调特点。每个句调的发音特点都给出了三个标准例句作为学习者模仿的范本，请学习者跟读、朗读，逐渐掌握词重音和句重音的规律，形成正确的语感。

6．**汉字**。汉字部分的教学内容为8个笔画、14个独体字和30个偏旁。偏旁教学贯穿二级汉字教学的始终，通过对前三级的600个词进行统计，按使用频率和构字能力排序，52个独体字进入一级教学中，其余14个进入二级教学中。每课介绍两个易学、常见、带字能力强的偏旁，并给出两个例字。二级大纲词语只有认读要求，书写要求只针对14个独体字。

7．**运用**。二级既有便于掌握的看图说话，也有互动性强的双人活动和交际性强的小组活动，以提高学生的汉语综合运用能力。

8．**文化**。二级共安排三个文化点，分布在第5课、第10课和第15课。针对本级别的学习者，所选取的文化点主要是日常生活交往方面的交际性文化。三个文化点分别为：中国人的餐桌礼节、中国的茶文化和中国的"新年"——春节。建议教师结合该部分的图片和内容，引入一些中国文化的探讨和交流内容，可以使用媒介语。

以上是对本教材课本教程使用方法的一些说明和建议。在教学过程中您可以根据实际情况灵活使用本教材。对于只掌握150个一级词语的汉语学习者来说，这是他们学习汉语的初级教材。我们希望打破汉语很难的印象，让学习者学得快乐、学得轻松、学得高效。学完本书，就可以通过HSK相应级别的考试来检测自己的能力和水平。希望本教材可以帮助每位学习者在学习汉语的道路上走得更远。

目录　Contents

语音 Pronunciation	汉字 Characters
双音节词语的重音 : Stress in Disyllabic Words 1. 中重格式 "Medium-stressed + Stressed" Structure 2. 重轻格式 "Stressed + Light" Structure	1. 汉字的笔画（7）： Basic Strokes of Chinese Characters (7): 乁、乛 2. 认识独体字 : Single-Component Characters: 为、也 3. 汉字偏旁 "彡" 和 "卫" Chinese Radicals: "彡" and "卫"

三音节词语的重音 : Stress in Trisyllabic Words
1. 中轻重格式
    "Medium-stressed + Light + Stressed" Structure
2. 中重轻格式
    "Medium-stressed + Stressed + Light" Structure
3. 重轻轻格式
    "Stressed + Light + Light" Structure
	1. 汉字的笔画（8）：
	Basic Strokes of Chinese Characters (8):
	乁、乛
	2. 认识独体字 : Single-Component Characters:
	生、高
	3. 汉字偏旁 "艹" 和 "攵"
	Chinese Radicals: "艹" and "攵"

四音节词语的重音 : Stress in Quadrisyllabic Words
1. 不含轻声音节的四音节词语
    Quadrisyllabic Words without a Neutral Tone
2. 含轻声音节的四音节词语
    Quadrisyllabic Words with a Neutral Tone
	1. 汉字的笔画（9）：
	Basic Strokes of Chinese Characters (9):
	乁、乛
	2. 认识独体字 : Single-Component Characters:
	手、丈、夫
	3. 汉字偏旁 "扌" 和 "刂"
	Chinese Radicals: "扌" and "刂"

句子的语法重音（1）: Syntactic Stress in a Sentence (1): 1. 谓语重读 Stressing the Predicate 2. 补语重读 Stressing the Complement	1. 汉字的笔画（10）： Basic Strokes of Chinese Characters (10): 乚、乛 2. 认识独体字 : Single-Component Characters: 两、乐、长 3. 汉字偏旁 "纟" 和 "忄" Chinese Radicals: "纟" and "忄"
句子的语法重音（2）: Syntactic Stress in a Sentence (2): 1. 定语重读 Stressing the Attributive Modifier 2. 状语重读 Stressing the Adverbial Modifier	1. 认识独体字 : Single-Component Characters: 鱼、衣 2. 汉字偏旁 "犭" 和 "广" Chinese Radicals: "犭" and "广"

语音 Pronunciation	汉字 Characters
句子的逻辑重音 Logical Stress in a Sentence	1. 认识独体字：Single-Component Characters: 　门、羊 2. 汉字偏旁"犭"和"心" 　Chinese Radicals: "犭" and "心"
汉语的基本句调 Basic Intonations of Chinese Sentences	汉字偏旁"亻"和"夂" Chinese Radicals: "亻" and "夂"
陈述句的句调 Intonation of a Declarative Sentence	汉字偏旁"又"和"巾" Chinese Radicals: "又" and "巾"
是非疑问句的句调 Intonation of a Yes-No Question	汉字偏旁"扌"和"灬" Chinese Radicals: "扌" and "灬"
特指问句的句调 Intonation of a Specific Question	汉字偏旁"走"和"穴" Chinese Radicals: "走" and "穴"
正反问句的句调 Intonation of an Affirmative-Negative Question	汉字偏旁"广"和"冫" Chinese Radicals: "广" and "冫"

语音 Pronunciation	汉字 Characters
选择问句的句调 Intonation of an Alternative Question	汉字偏旁"止"和"冂" Chinese Radicals: "止" and "冂"
祈使句的句调 Intonation of an Imperative Sentence	汉字偏旁"斤"和"页" Chinese Radicals: "斤" and "页"
感叹句的句调 Intonation of an Exclamatory Sentence	汉字偏旁"雨"和"贝" Chinese Radicals: "雨" and "贝"
用"吧"和"吗"构成的疑问句的句调 Intonation of a Question Ending with "吧" or "吗"	汉字偏旁"山"和"大" Chinese Radicals: "山" and "大"

1

Jiǔ yuè qù Běijīng lǚyóu zuì hǎo
九月去北京旅游最好
September is the best time to visit Beijing

热身
Warm-up

1 给下面的词语选择对应的图片
Match the pictures with the words.

A

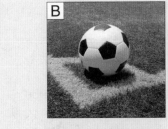
B

C

D

E

F

lǚyóu
① 旅游 _D_

yùndòng
② 运动 _E_

yǎnjing
③ 眼睛 _C_

zúqiú
④ 足球 _B_

yǐzi
⑤ 椅子 _F_

māo
⑥ 猫 _A_

2 看下面的图片，说说来北京旅游最好的时间
Look at the pictures and talk about the best time to visit Beijing.

sān yuè
三 月
March

liù yuè
六 月
June

jiǔ yuè
九 月
September

shí'èr yuè
十 二 月
December

课文
Text

Wǒ yào qù Běijīng lǚyóu, nǐ juéde

A: 我 要 去北京 旅游, 你 觉得
I'm thinking of going on a trip to Beijing, when should I go?

shénme shíhou qù zuì hǎo?

什么 时候 去 最好?
What time is best to go?

Jiǔ yuè qù Běijīng lǚyóu zuì hǎo.

B: 九 月 去 北京 旅游 最好。
September is the best time.

Wèi shénme?

A: 为 什么?
Why?

Jiǔ yuè de Běijīng tiānqì bù lěng yě bú rè.

B: 九 月 的 北京 天气 不 冷 也 不 热。
It is not hot or cold in September.

English Version

A: I'm thinking of a trip to Beijing.
When do you think is the best time?

B: September is the best time to visit
Beijing.

A: Why?

B: Because it's neither cold nor hot
there in September.

New Words

1. 旅游　　lǚyóu　v.　to travel, to take
　　　　　　　　　　　　a trip

2. 觉得　　juéde　v.　to think, to feel

3. 最　　　zuì　adv.　most, to the greatest
　　　　　　　　　　　extent

4. 为什么　wèi shénme　why

5. 也　　　yě　adv.　also, too

Nǐ xǐhuan shénme yùndòng?

A: 你 喜欢 什么 运动?
What sports do you like?

Wǒ zuì xǐhuan tī zúqiú.

B: 我 最 喜欢 踢足球
I like playing soccer/football

Xiàwǔ wǒmen yìqǐ qù tī zúqiú ba.

A: 下午 我们 一起 去 踢足球 吧
We can go play soccer/football this afternoon.

Hǎo a!

B: 好 啊!
Great!

English Version

A: What sport do you like?

B: I like playing football.

A: Let's go to play football this
afternoon.

B: Great!

New Words

6. 运动　　yùndòng　n./v.
　　　　　　sport; to take physical
　　　　　　exercise, to work out

7. 踢足球　tī zúqiú　to play football

8. 一起　　yìqǐ　adv.　together

3 在家里 **At home** 🔘 01-3

Wǒmen yào bu yào mǎi jǐ ge xīn de yǐzi?
A: 我们 要不要买几个新的椅子？

Hǎo a. Shénme shíhou qù mǎi?
B: 好 啊。什么 时候 去买？

Míngtiān xiàwǔ zěnmeyàng?
A: 明天 下午 怎么样？

Nǐ míngtiān jǐ diǎn néng huílai?
你 明天几点 能 回来？

Sān diǎn duō.
B: 三 点多。

English Version

A: Don't you think we should buy some new chairs?

B: Yes. When shall we go to buy them?

A: What about tomorrow afternoon? When will you be back tomorrow?

B: A little bit later after three o'clock, maybe later.

New Words

9. 要 yào aux. to want to, would like to

10. 新 xīn adj. new

4 在家里 **At home** 💿 01-4

Zhuōzi xiàmiàn yǒu ge māo.
A: 桌子 下面 有个猫。

Nà shì wǒ de māo, tā jiào Huāhua.
B: 那 是我的猫，它叫 花花。

Tā hěn piàoliang.
A: 它很 漂亮。

Shì a, wǒ juéde tā de yǎnjing zuì piàoliang.
B: 是 啊，我觉得它的 眼睛 最 漂亮。

Tā duō dà le?
A: 它多 大了？

Liù ge duō yuè.
B: 六个多 月。

English Version

A: There is a cat under the table.

B: It's my cat Huahua.

A: It's beautiful.

B: Yes. I think it has the most beautiful eyes.

A: How old is it?

B: More than six months.

New Words

11. 它 tā pron. it
12. 眼睛 yǎnjing n. eye

Proper Noun

花花 Huāhua *name of a cat*

注释
Notes

1 助动词：要　The Auxiliary Verb "要"

用在动词前，表示有做某件事情的愿望。例如：

When used before a verb, it indicates the desire to do something. For example:

Subject	要（Aux）	Predicate
王方	要	学习英语。
我	要	吃米饭。
我们	要不要	买几个新的椅子？

否定形式一般为"不想"。例如：

Its negative form is usually "不想". For example:

（1）小王要去，我不想去。

（2）A: 你要吃米饭吗？

　　　B: 我不想吃米饭。

（3）A: 我要去商店买椅子，你去吗？

　　　B: 我不去，我不想买椅子。

2 程度副词：最　The Adverb of Degree "最"

表示在同类事物中或某方面占第一位。例如：

It means being the first among things of the same kind or in a certain aspect. For example:

（1）大卫的汉语最好。

（2）我最喜欢吃米饭。

（3）它的眼睛最漂亮。

3 概数的表达：几、多　"几" and "多": expressions of approximate numbers

"几"可以表示10以内的不定个数，后边要有量词。例如：

"几" can indicate an indefinite number less than 10, followed by a measure word. For example:

几	量词（M）	名词（N）
几	个	人
几	本	书
几	个	新的椅子

（1）车上有几个人。

（2）我想买几本书。

（3）我们要不要买几个新的椅子？

"几"可以用在"十"之后，表示大于10小于20的数字，如：十几个人；也可以用在"十"之前，表示大于20小于100的数字，如：几十个人。

When "几" is used after "十", it indicates a number greater than 10 but less than 20, for example, "十几个人" (a dozen people or so); when used before "十", it indicates a number greater than 20 while less than 100, for example, "几十个人" (dozens of people).

"多"与数量词搭配使用，数词是10以下的数字时，"多"用在量词之后。例如：

"多" can be used together with numeral-measure word phrases. When the numeral is less than 10, "多" should be put behind the measure word. For example:

数词（Num）	量词（M）	多	名词（N）
三	个	多	星期
五	年	多	
六	个	多	月

数词是10以上的整数时，"多"用在量词前，在这种情况下，"多"和"几"通用。例如：

When the numeral is an integer greater than 10, "多" is put before the measure word. In this case, "多" and "几" are interchangeable. For example:

数词（Num）	多	量词（M）	名词（N）
十	多	个	月
二十	多	块	钱
八十	多	个	人

练习
Exercises

1 分角色朗读课文　Role-play the dialogs.

2 根据课文内容回答问题　Answer the questions based on the dialogs.

❶ 什么时候去北京旅游最好？为什么？
Shénme shíhou qù Běijīng lǚyóu zuì hǎo? Wèi shénme?

❷ 他们下午要做什么？Tāmen xiàwǔ yào zuò shénme?

❸ 他们想什么时候去买椅子？Tāmen xiǎng shénme shíhou qù mǎi yǐzi?

❹ 花花在哪儿？Huāhua zài nǎr?

❺ 花花多大了？Huāhua duō dà le?

3 用本课新学的语言点和词语描述图片

Describe the pictures using the newly-learned language points and words.

Wǒ yào qù mǎi _____ ge xīn bēizi.
我 要 去 买 _____ 个 新 杯子。

Nǐ _____ mǎi yīfu, qù nàge shāngdiàn ba.
你 _____ 买衣服，去 那个 商店 吧。

Wǒ de māo sān suì _____ le,
我 的 猫 三 岁 _____ 了，

nǐ de māo duō dà le?
你的 猫 多 大 了？

Wǒ bù xiǎng xuéxí, wǒ xiǎng hé péngyou qù
我 不 想 学习，我 想 和 朋友 去 _____。

语音
Pronunciation

双音节词语的重音　Stress in Disyllabic Words　🔊 01-5

（1）中重格式　"Medium-stressed + Stressed" Structure

大多数双音节词属中重格式，第二个音节为重音，音长较长。例如：

Most disyllabic words fall into this type of structure, with the second syllable stressed and lasting longer. For example:

bīngxiāng	bāng máng	dǎrǎo	gāoxìng
冰箱	帮 忙	打扰	高兴
lǚyóu	kěnéng	kāishǐ	kǎo shì
旅游	可能	开始	考 试

（2）重轻格式　"Stressed + Light" Structure

少数双音节词是"重轻"格式，第一个音节为重音，音长较长；第二个音节为轻音，音长较短。例如：

A small number of disyllabic words belong to this type, in which the first syllable is stressed and long and the second is light and short. For example:

dōngxi	chuānghu	luóbo	shíhou
东西	窗户	萝卜	时候
zhěntou	nǐmen	gàosu	gùshi
枕头	你们	告诉	故事

汉字 Characters

1 汉字的笔画（7）：乙、弓
Strokes of Chinese Characters (7): 乙, 弓

笔画名称 Stroke	运笔方向 Direction	例字 Example Characters
乙 横折提 héngzhétí Horizontal-Turning-Rising	乙	话 huà word, talk 说 shuō to say, to speak
弓 横折折折钩 héngzhézhézhégōu Horizontal-Triple-Turning-Hook	弓	奶 nǎi milk 场 chǎng field, venue

2 认识独体字 Single-Component Characters

（1）"为"，繁体（爲）字形像一只手牵着象，让它为人们干活的样子。本义是"做"。

The complex form of "为" (wéi), 爲, looks like a hand pulling an elephant for work. It originally meant "to work".

wéi/wèi

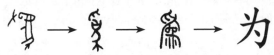 

（2）"也"，字形像头尖、身长的蛇，后来随着字形的演变，本义就丢失了，现在虚化为副词。

The ancient form of "也" looks like a long snake with a pointed head. As the form of the character evolves, it has lost the original meaning and become an adverb.

yě

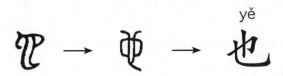 

3 汉字偏旁 "王" 和 "⻊" Chinese Radicals: "王" and "⻊"

偏旁 Radical	解释 Explanation	例字 Example Characters
王	王字旁，也叫斜玉旁，一般和玉有关系。 The radical "王" is sometimes called the "slanting-jade" radical. It is usually related to jade.	现 xiàn now, present 球 qiú ball
⻊	足字旁，一般和脚有关系。 The radical "⻊" is usually related to one's feet.	跑 pǎo to run 踢 tī to kick

运用
Application

1 双人活动　Pair Work

两人一组，询问对方的喜好和习惯，互相了解对方。

Work in pairs. Ask about your partner's likes and habits and get to know each other.

Nǐ zuì xǐhuan chī shénme? Zuì bù xǐhuan chī shénme?
例如：A: 你 最 喜欢 吃 什么？最 不 喜欢 吃 什么？

Wǒ zuì……
B: 我 最……

Nǐ zuì xǐhuan shénme yùndòng?
A: 你 最 喜欢 什么 运动？

B: ……

Wǒ de péngyou　　　　tā zuì xǐhuan　　　　zuì bù xǐhuan
我 的 朋友_____，他 最 喜欢_____，最 不 喜欢_____。

2 小组活动　Group Work

3~4人一组，互相询问并记录朋友最想和最不想去旅游的地方以及原因，每组请一位同学报告情况。

Work in groups of 3-4. Ask your group members about the places they want to travel the most and the least respectively, ask the reasons why and take notes. Each group chooses one member to make a report.

Nǐ zuì xiǎng qù shénme dìfang lǚyóu?
例如：A: 你 最 想 去 什么 地方 旅游？

Wǒ zuì……
B: 我 最……

Wèi shénme?
A: 为 什么？

B: ……

Nǐ zuì bù xiǎng qù shénme dìfang lǚyóu? Wèi shénme?
A: 你 最 不 想 去 什么 地方 旅游？为 什么？

B: ……

	姓名 Name	最想/最不想去的地方 Place Most/Least Attractive	原因（yuányīn） Reason
1	小王 Xiǎo Wáng	最想去北京 zuì xiǎng qù Běijīng	他想学汉语，想吃中国菜。 Tā xiǎng xué Hànyǔ, xiǎng chī Zhōngguó cài.

2 我每天六点起床

I get up at six every day

1 给下面的词语选择对应的图片
Match the pictures with the words/phrases.

 A

 B

C

 D

 E

 F

qǐ chuáng
① 起床_____

pǎo bù
② 跑步_____

chī yào
③ 吃药_____

shēng bìng
④ 生病_____

xiūxi
⑤ 休息_____

chū yuàn
⑥ 出院_____

2 看下面的图片，说说马丁（Mǎdīng）什么时间做什么事情
Look at the pictures and talk about at what time Martin does the following things.

Mǎdīng zǎoshang……, xiàwǔ……, wǎnshang……,
马丁　　早上……，　下午……，　晚上……，

xīngqī liù hé xīngqītiān……
星期 六和 星期天……

9

课文
Text

1 在运动场 **On the playground** 💿 02-1

Nǐ hěn shǎo shēng bìng, shì bu shì xǐhuan yùndòng?
A: 你 很 少 生 病，是 不 是 喜欢 运动？

Shì a, wǒ měi tiān zǎoshang dōu yào chūqu pǎo bù.
B: 是 啊，我 每 天 早上 都 要 出去 跑步。

Nǐ měi tiān jǐ diǎn qǐ chuáng?
A: 你 每 天 几 点 起 床？

Wǒ měi tiān liù diǎn qǐ chuáng.
B: 我 每 天 六 点 起 床。

English Version

A: You seldom get sick. I guess you
   like doing sports, don't you?
B: Yes. I go out for a jog every
   morning.
A: What time do you get up?
B: I get up at six every day.

New Words

1. 生病　shēng bìng　v.　to fall ill, to be sick
2. 每　　měi　pron.　every, each
3. 早上　zǎoshang　n.　morning
4. 跑步　pǎo bù　v.　to run, to jog
5. 起床　qǐ chuáng　v.　to get up, to get out
   　　　　　　　　　　　　of bed

2 在医院 **In the hospital** 💿 02-2

Chī yào le ma? Xiànzài shēntǐ zěnmeyàng?
A: 吃 药 了 吗？现在 身体 怎么样？

Chī le. Xiànzài hǎo duō le.
B: 吃 了。现在 好 多 了。

Shénme shíhou néng chū yuàn?
A: 什么 时候 能 出 院？

Yīshēng shuō xià ge xīngqī.
B: 医生 说 下个 星期。

English Version

A: Did you take your medicine? How
   do you feel now?
B: Yes, I did. I feel much better now.
A: When can you leave the hospital?
B: Next week according to the doctor.

New Words

6. 药　　yào　n.　medicine, drug
7. 身体　shēntǐ　n.　body
8. 出院　chū yuàn　to leave hospital, to
   　　　　　　　　be discharged from
   　　　　　　　　hospital

　 出　　chū　v.　to come/go out

3 在操场 On the playground 🔵 02-3

Dàwèi jīnnián duō dà?
A: 大卫 今年 多大？

Èrshí duō suì.
B: 二十多岁。

Tā duō gāo?
A: 他多 高？

Yì mǐ bā jǐ.
B: 一米八几。

Nǐ zěnme zhīdào zhème duō a?
A: 你怎么知道 这么 多啊？

Tā shì wǒ tóngxué.
B: 他是我 同学。

- -

English Version

A: How old is David?

B: Above 20 years old.

A: How tall is he?

B: He is more than 180 centimeters tall.

A: How come you know so much about him?

B: He is my classmate.

New Words

9. 高　　gāo　adj.　tall, high
*10. 米　　mǐ　　m.　　meter
11. 知道　zhīdào　v.　to know

4 在房间 In the room 🔵 02-4

Zhāng lǎoshī xīngqī liù yě bù xiūxi a?
A: 张　老师星期 六也不休息啊？

Shì a,　tā zhè jǐ tiān hěn máng, méiyǒu
B: 是啊，他这几天 很 忙，没有

shíjiān xiūxi.
时间 休息。

Nà huì hěn lèi ba?
A: 那会很累吧？

Tā měi tiān huílai dōu hěn lèi.
B: 他每天回来都 很累。
　　　　　　　　— Come back

- -

English Version

A: Doesn't Mr. Zhang take Saturday off?

B: No. He has been busy lately. He has no
time to rest.

A: That must be really tiring.

B: Every day he comes home exhausted.

New Words

12. 休息　xiūxi　v.　to have or
　　　　　　　　　take a rest

13. 忙　　máng　adj.　busy

14. 时间　shíjiān　n.　time

累　lèi　tired

为医生 yīshēng doctor

注释
Notes

1 用"是不是"的问句　Questions Using "是不是"

如果提问的人对某个事实或者情况有比较肯定的估计，为了进一步得到证实，就可以用这种疑问句提问。"是不是"一般用在谓语前面，也可以用在句首或者句尾。例如：

If one raises a question and is somehow certain about a fact or situation, they can use this kind of question to confirm their guess. "是不是" (literally "yes or no") is usually used before the predicate or at the beginning or end of a sentence. For example:

（1）你很少生病，是不是喜欢运动？

（2）是不是明天爸爸休息？

（3）我们星期一去北京，是不是？

2 代词"每"　The Pronoun "每"

"每"的后边是量词，指全体中的任何一个或一组。比如：每天、每年、每个月、每个星期。例如：

"每" is used before a measure word, indicating each or every individual or group in the whole, for example, "每天" (every day), "每年" (every year), "每个月" (every month) and "每个星期" (every week). For example:

（1）山姆每年都去中国旅游。

（2）你每个星期六都工作吗？

（3）我每天六点起床。

3 疑问代词"多"　The Interrogative Pronoun "多"

疑问代词"多"用在形容词的前面，对程度进行提问，回答时要说出数量。例如：

The interrogative pronoun "多" is used before an adjective, asking about the degree of something. A specific quantity should be given to answer the question. For example:

Subject	多	形容词（Adj）
你	多	大？
大卫	多	高？
他	多	高？

（1）A: 你多大？

　　B: 我16岁。

（2）A: 王医生的儿子多高？

　　B: 他儿子一米七。

（3）A: 他多高？

　　B: 一米八几。

练习
Exercises

1 分角色朗读课文　Role-play the dialogs.

2 根据课文内容回答问题　Answer the questions based on the dialogs.

① 他为什么很少生病？ Tā wèi shénme hěn shǎo shēng bìng?

② 他每天几点起床？ Tā měi tiān jǐ diǎn qǐ chuáng?

③ 她现在身体怎么样？ Tā xiànzài shēntǐ zěnmeyàng?

④ 大卫今年多高？多大？ Dàwèi jīnnián duō gāo? Duō dà?

⑤ 张老师星期六休息吗？ Zhāng lǎoshī xīngqī liù xiūxi ma?

3 用本课新学的语言点和词语描述图片
Describe the pictures using the newly-learned language points and words.

Xiǎolì　　　tiān dōu hěn máng, yě hěn lèi.
小丽_____天都很忙，也很累。

Tā měi tiān zǎoshang chūqu
他每天早上出去_____,
shēntǐ hěn hǎo.
身体很好。

Wáng yīshēng de érzi duō
王医生的儿子多_____？

Wǒ tīngshuō Ānni　　　le, wǒ xiǎng
我听说安妮_____了，我想
qù kànkan tā.
去看看她。

语音
Pronunciation

■ 三音节词语的重音　Stress in Trisyllabic Words　🔊 02-5

（1）中轻重格式　"Medium-stressed + Light + Stressed" Structure

大多数三音节词属于"中轻重"格式，即第一个音节为中音，音长次长；第二个音节为轻音，音长最短；第三个音节为重音，音长最长。例如：

Most trisyllabic words fall into this type of structure, in which the first syllable is medium-stressed and medium in length, the second syllable is light and short, and the third syllable is stressed and long. For example:

shōuyīnjī　　　Xīnjiāpō　　　Hǎoláiwù　　　diànshìjù
收音机　　　　新加坡　　　　好莱坞　　　　电视剧

13

（2）中重轻格式　"Medium-stressed + Stressed + Light" Structure

三音节词属于"中重轻"格式的数量不多，即第二个音节为重音，音长最长；第一个音节为中音，音长中长；第三个音节为轻音，音长最短。例如：

There are not many trisyllabic words of this kind, in which the second syllable is stressed and long, the first syllable medium-stressed and medium in length, and the third syllable light and short. For example:

húluóbo	méiguānxi	lǎo húli	máoháizi
胡萝卜	没关系	老狐狸	毛孩子

（3）重轻轻格式　"Stressed + Light + Light" Structure

三音节词语属于"重轻轻"格式的很少，多为口语词，它的第一个音节为重音，第二、三个音节都为轻音。例如：

There are even fewer trisyllabic words of this structure, in which the first syllable is stressed and the other two are light in tone. Most of these words are colloquial. For example:

shénmede	guàibude	gūniangjia	hǎo zhe ne
什么的	怪不得	姑娘家	好 着 呢

汉字 Characters　1　汉字的笔画（8）：⻖、乃

Strokes of Chinese Characters (8): ⻖, 乃

笔画名称 Stroke	运笔方向 Direction	例字 Example Characters
⻖ 横撇弯钩 héngpiěwāngōu Horizontal-Left Falling-Curved Hook		队　duì　team 阵　zhèn　battle array
乃 横折折撇 héngzhézhépiě Horizontal-Double-Turning-Left Falling		及　jí　to reach; and 级　jí　level, grade

2 认识独体字　Single-Component Characters

（1）"生"，字形像地面上长出了一株嫩苗。本义是"生长"、"长出"，现在意思很多，如"生病"、"生活"。

The original form of "生" looks like a young seedling sprouting from the earth. Its original meaning is "to germinate and grow". Now it has various meanings, such as "to get (ill)" and "to live".

（2）"高"，字形像一座高高的楼阁，表示"高"的意思。

The original form of "高" looks like a tall pavilion. It means "tall".

3 汉字偏旁　"⺮"和"欠"　Chinese Radicals: "⺮" and "欠"

偏旁 Radical	解释 Explanation	例字 Example Characters
⺮	竹字头，一般和竹子有关系。 The radical "⺮" is usually related to bamboo.	篮　lán　basket 笔　bǐ　pen
欠	欠字旁，一般和嘴的活动有关系。 The radical "欠" is usually related to movements of the mouth.	歌　gē　song 吹　chuī　to blow

运用
Application

1 双人活动　Pair Work

两人一组，询问对方一天的生活。

Work in pairs and ask about your partner's daily routines.

例如：

Nǐ měi tiān jǐ diǎn chī zǎofàn?
A: 你 每 天 几 点 吃 早饭？

Wǒ……
B: 我……

Nǐ měi tiān shénme shíhou yùndòng?
A: 你 每 天 什么 时候 运动？

B: ……

2 小组活动　Group Work

3~4人一组，互相询问对方的基本信息和运动情况。每组请一位同学报告情况。

Work in groups of 3-4. Ask the basic information about your group members and the sports they do. Each group chooses a member to make a report.

例如：

Nǐ duō dà?
A: 你 多 大？

Wǒ……
B: 我……

Nǐ duō gāo?
A: 你 多 高？

B: ……

Nǐ měi tiān zuò shénme yùndòng?
A: 你 每 天 做 什么 运动？

B: ……

	姓名 Name	年龄 Age	身高 Height	运动 Sports
1	小王 Xiǎo Wáng	18岁 shíbā suì	1米75 yì mǐ qī wǔ	每天早上跑步，每个星期六踢足球。 Měi tiān zǎoshang pǎo bù, měi ge xīngqī liù tī zúqiú.

3

Zuǒbian nàge hóngsè de shì wǒ de
左边那个红色的是我的
The red one on the left is mine

热身
Warm-up

1 给下面的词语选择对应的图片
Match the pictures with the words.

 A
 B
 C

 D
 E
 F

shǒubiǎo
❶ 手表_____

bàozhǐ
❷ 报纸_____

niúnǎi
❸ 牛奶_____

fángjiān
❹ 房间_____

zhàngfu
❺ 丈夫_____

hóngsè
❻ 红色_____

2 看下面的图片，说说地图中这些地方的位置
Look at the sketch map and describe the positions of the places in it.

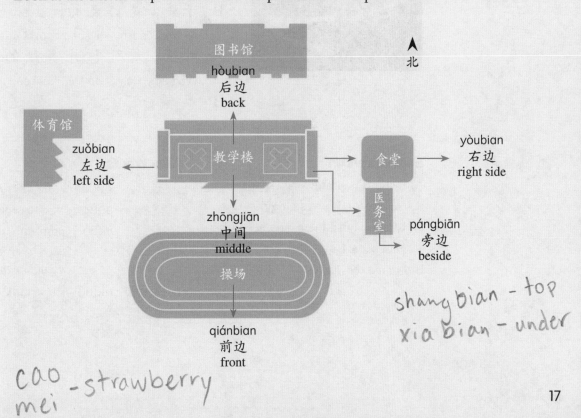

图书馆
hòubian
后边
back

北

体育馆
zuǒbian
左边
left side

教学楼

食堂
yòubian
右边
right side

医务室
pángbiān
旁边
beside

zhōngjiān
中间
middle

操场

qiánbian
前边
front

shang bian - top
xia bian - under

cao -strawberry
mei

17

课文
Text

1 在房间 **In the room** 💿 03-1

Zhè kuài shǒubiǎo shì nǐ de ma?
A: 这 块 手表 是你的吗?

Bú shì wǒ de.　Shì wǒ bàba de.
B: 不是我的。是我爸爸的。

Duōshao qián mǎi de?
A: 多少 钱买的?

Sānqiān duō kuài.
B: 三千 多块。

English Version

A: Is this watch yours?

B: No, it isn't. It's my father's.

A: How much is it?

B: More than 3,000 *yuan*.

New Words

1. 手表　shǒubiǎo　n.　watch
2. 千　qiān　num.　thousand

2 在家里 **At home** 💿 03-2

Zhè shì jīntiān zǎoshang de bàozhǐ ma?
A: 这 是今天 早上 的报纸吗?

Bú shì,　shì zuótiān de.
B: 不是,是昨天的。

Nǐ tīng, shì bu shì sòng bàozhǐ de lái le?
A: 你听,是不是送报纸的来了?

Wǒ kàn yíxià.　Bú shì,　shì sòng niúnǎi de.
B: 我 看一下。不是,是送牛奶的。

English Version

A: Is it this morning's newspaper?

B: No, it isn't. It's yesterday's.

A: Listen. Is that the man who delivers
　 newspaper?

B: Let me see. No, it's the milkman.

New Words

3. 报纸　bàozhǐ　n.　newspaper
4. 送　sòng　v.　to send, to deliver
5. 一下　yíxià　num.-m.
　　*used after a verb, indicating
　　an act or an attempt*
6. 牛奶　niúnǎi　n.　milk

3 在家里 At home 🔊 03-3

A: Zhè shì shéi de fángjiān?
这 是 谁 的 房间?

B: Zhè shì wǒ hé wǒ zhàngfu de, pángbiān nàge
这 是 我 和 我 丈夫 的, 旁边 那个
xiǎo de fángjiān shì wǒ nǚ'ér de.
小 的 房间 是 我 女儿 的。

A: Nǐ nǚ'ér de fángjiān zhēn piàoliang! Dōu shì fěnsè de.
你女儿的 房间 真 漂亮! 都 是 粉色的。

B: Shì a, fěnsè shì wǒ nǚ'ér zuì xǐhuan de yánsè.
是啊, 粉色是我女儿最喜欢的颜色。

English Version

A: Whose room is this?

B: It's my husband's and mine. The small one beside it is my daughter's.

A: Your daughter's room is so pretty! It's all pink.

B: Yes. Pink is her favorite color.

New Words

7. 房间   fángjiān   n. room
8. 丈夫   zhàngfu   n. husband
9. 旁边   pángbiān   n. beside
10. 真   zhēn   adv. really, indeed
*11. 粉色   fěnsè   n. pink
    粉   fěn   adj. pink
12. 颜色   yánsè   n. color

4 在办公室 In the office 🔊 03-4

A: Nǐ kànjiàn wǒ de bēizi le ma?
你看见 我的 杯子 了吗?

B: Zhèli yǒu jǐ ge bēizi, nǎge shì nǐ de?
这里有 几个 杯子, 哪个 是你的?

A: Zuǒbian nàge hóngsè de shì wǒ de.
左边 那个红色的是我的。

B: Gěi nǐ.
给你。

English Version

A: Have you seen my cup?

B: Here are a few cups. Which one is yours?

A: The red one on the left is mine.

B: Here you are.

New Words

13. 左边   zuǒbian   n. left side
14. 红色   hóngsè   n. red
    红   hóng   adj. red

1 "的" 字短语   The "的" Phrase

代词、形容词、动词等跟"的"组成一个短语，相当于省略了中心语的名词短语。例如：

"的" can be used after a pronoun, an adjective or a verb to form a phrase which is equivalent to a nominal phrase with its headword omitted. For example:

（1）这本书不是<u>我的</u>。 （=我的书）

（2）这个杯子是<u>昨天买的</u>。 （=昨天买的杯子）

（3）这块手表是<u>你的</u>吗？（=你的手表）

2 一下   The Numeral Classifier "一下"

"一下"用在动词后面，表示一次短暂的动作，相当于动词的重叠式AA（见第8课），宾语可以省略。例如：

"一下" is used after a verb to indicate a short action, similar to the reduplicative form (AA) of a verb (see Lesson 8). The object of the verb can be omitted. For example:

Subject	动词（V）	一下	宾语（O）
我	看	一下。	
你	休息	一下吧。	
我	问	一下	老师。

3 语气副词"真"   The Modal Adverb "真"

"真+形容词"表示感叹的语气，意思是的确、实在。例如：

The structure "真 + adjective" expresses an exclamatory mood, meaning "really, indeed". For example:

（1）你真好！

（2）今天天气真好！

（3）你女儿的房间真漂亮！

1 分角色朗读课文   Role-play the dialogs.

2 根据课文内容回答问题   Answer the questions based on the dialogs.

❶ 爸爸的手表多少钱？Bàba de shǒubiǎo duōshao qián?

② 送报纸的来了吗？ Sòng bàozhǐ de lái le ma?

③ 旁边那个小的房间是谁的？ Pángbiān nàge xiǎo de fángjiān shì shéi de?

④ 她女儿的房间怎么样？ Tā nǚ'ér de fángjiān zěnmeyàng?

⑤ 哪个杯子是她的？ Nǎge bēizi shì tā de?

3 用本课新学的语言点和词语描述图片

Describe the pictures using the newly-learned language points and words.

Wàimian xià yǔ, tāmen dōu zài _____ li ne.
外面 下雨，他们 都 在_____里呢。

Lǐ xiānsheng de shǒubiǎo hěn hǎo,
李 先生 的 手表 很 好

sān _____ duō kuài qián.
三_____多 块 钱。

Wǒ juéde zuǒbian nàge _____ de piàoliang.
我 觉得 左边 那个_____的 漂亮。

Jīntiān _____ niúnǎi de lái le,
今天_____牛奶 的 来了，

bàozhǐ de méi lái.
_____报纸 的 没来。

语音
Pronunciation
四音节词语的重音 Stress in Quadrisyllabic Words 🔊 03-5

（1）不含轻声音节的四音节词语 Quadrisyllabic Words without a Neutral Tone

四音节词语的重音一般在第四个音节。例如：

In a quadrisyllabic word, the stress generally falls on the fourth syllable. For example:

gōnggòng qìchē   gāosù gōnglù   míngshèng gǔjì   ài bú shì shǒu
公共 汽车   高速 公路   名胜 古迹   爱不释 手

（2）含轻声音节的四音节词语　Quadrisyllabic Words with a Neutral Tone

含有轻声音节的四音节词语一般为形容词，第二个音节一般为轻声音节，第四个音节为重读音节。例如：

A quadrisyallbic word that has a neutral-tone syllable is usually an adjective, in which the second syllable is in the neutral tone and the fourth syllable is stressed. For example:

duōduosuōsuō	huànghuangyōuyōu	mòmojījī	pīlipālā
哆哆嗦嗦	晃晃悠悠	磨磨唧唧	噼里啪啦
•	•	•	•

汉字 Characters

1　汉字的笔画（9）：乁、）

Strokes of Chinese Characters (9): 乁，）

笔画名称 Stroke	运笔方向 Direction	例字 Example Characters
乁 横折斜钩 héngzhéxiégōu Horizontal-Turning-Slanting Hook	乁	飞　fēi　to fly 风　fēng　wind
）弯钩 wāngōu Crooked Hook	）	狗　gǒu　dog 猫　māo　cat

2　认识独体字　Single-Component Characters

（1）"手"，字形是一只手的形象，表示"手"的意思。

The original form of "手" is an image of a hand. It means "hand".

shǒu

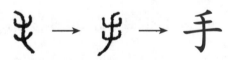

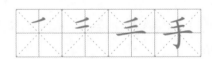

（2）"丈"，本义是手持拐杖的老者，现在是长度单位。

"丈" originally referred to an old person holding a walking stick. Now it is a unit of length.

zhàng

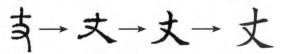

（3）"夫"，本义是成年男子，现在多指家庭中的男性、丈夫。

"夫" originally referred to an adult man. Now it usually means "a man or husband in a family".

fū

大 → 夫 → 夫 → 夫

3 汉字偏旁 "木" 和 "刂"　Chinese Radicals: "木" and "刂"

偏旁 Radical	解释 Explanation	例字 Example Characters
木	木字旁，一般和植物有关系。 The radical "木" is usually related to plants.	杯　bēi　cup, glass 椅　yǐ　chair
刂	立刀旁，一般和刀有关系。 The radical "刂" is usually related to cutters or knives.	别　bié　to leave, to part 到　dào　to arrive

运用 Application

1 双人活动　Pair Work

两人一组，把几个同学的笔、书、杯子等物品放在一起，然后通过询问确定哪个物品是哪位同学的。

Work in pairs. Put together several classmates' items, such as pens, books and cups, etc. Identify the owner of each item by asking questions.

　　　　　　Zhège hóngsè de bēizi shì nǐ de ma?
例如：A: 这个　红色 的杯子是你的吗?

　　　　　　Bú shì wǒ de.
　　　B: 不 是 我 的。

　　　　　　Pángbiān fěnsè de bēizi shì nǐ de ma?
　　　A: 旁边　粉色的杯子是你的吗?

　　　　　　Shì wǒ de.
　　　B: 是 我 的。

物品 Item	杯子 bēizi	笔 bǐ	书 shū	报纸 bàozhǐ	钱 qián
位置 Position	左边 zuǒbian	右边 (yòubian, right)	前边 qiánbian	后边 hòubian	旁边 pángbiān
颜色 Color	红色 hóngsè	粉色 fěnsè	白色 (báisè, white)	黑色 (hēisè, black)	蓝色 (lánsè, blue)

2 小组活动　Group Work

3~4人一组，边画边介绍你家的房间。

Work in groups of 3-4. Describe the rooms in your house or apartment while drawing the pictures of them.

Zuǒbian de fángjiān shì wǒ bàba māma de, tāmēn de fángjiān hěn dà.

例如：左边　的 房间 是我爸爸妈妈的，他们的 房间 很大。

Pángbiān de shì wǒ de, wǒ de fángjiān shì fěnsè de.

旁边　的是我的，我的 房间 是粉色的。

Diànnǎo zài zhuōzi shang, zhuōzi zài chuáng　pángbiān.

电脑　在 桌子 上，　桌子 在　床(bed) 旁边。

Zhège gōngzuò shì tā bāng wǒ jièshào de
这个工作是他帮我介绍的
He recommended me for this job

热身
Warm-up

1 给下面的词语选择对应的图片
Match the pictures with the words/phrases.

shēngrì	wǎnshang	liǎng ge érzi
❶ 生日＿＿＿＿	❷ 晚上＿＿＿＿	❸ 两 个儿子＿＿＿
diànhuà	kàn shū	gōngzuò
❹ 电话＿＿＿＿	❺ 看 书＿＿＿＿	❻ 工作＿＿＿＿

2 看下面的图片，给这些名词搭配合适的动词
Look at the pictures and add an appropriate verb before each noun.

mǎma
＿＿＿妈妈

yīshēng
＿＿＿医生

péngyou
＿＿＿朋友

diànhuà
＿＿＿电话

课文
Text

1 在教室 **In the classroom** 💿 04-1

Shēngrì kuàilè! Zhè shì sòng gěi nǐ de!
A: 生日 快乐! 这是 送 给你的!

Shì shénme? Shì yì běn shū ma?
B: 是 什么? 是一本 书 吗?

Duì, zhè běn shū shì wǒ xiě de.
A: 对, 这本 书 是 我 写的。

Tài xièxie nǐ le!
B: 太 谢谢 你 了!

English Version

A: Happy birthday! This is for you.
B: What is it? Is it a book?
A: Yes. A book written by me.
B: Thank you so much!

New Words

1. 生日 shēngrì n. birthday
2. 快乐 kuàilè adj. happy, glad
3. 给 gěi prep. (*used after a verb*) to, for
4. 礼物 lǐwù gift
5. dàn gāo cake

2 在家里 **At home** 💿 04-2

Zǎoshang yǒu nǐ yí ge diànhuà.
A: 早上 有你一个 电话。

Diànhuà shì shéi dǎ de?
B: 电话 是 谁 打的?

Bù zhīdào, shì érzi jiē de.
A: 不 知道, 是儿子接的。

Hǎo, wǎnshang wǒ wèn yíxià érzi.
B: 好, 晚上 我 问 一下儿子。

English Version

A: Someone called you this morning.
B: Who?
A: I don't know. Our son answered it.
B: OK. I'll ask him about it this evening.

New Words

*4. 接 jiē v. to receive, to take, to accept
5. 晚上 wǎnshang n. evening, night
6. 问 wèn v. to ask

fā
发 send
xìnxi
信息 msg
yóujiàn
邮件 email

dǎ diànhuà
打 电话 to call
guà
挂 电话 to hang up

3 在运动场 **On the playground** 04-3

Nǐ xǐhuan tī zúqiú ma?

A: 你喜欢踢足球吗？

Fēicháng xǐhuan.

B: 非常 喜欢。

Nǐ shì shénme shíhou kāishǐ tī zúqiú de?

A: 你是 什么 时候开始踢足球的？

Wǒ shíyī suì de shíhou kāishǐ tī zúqiú, yǐjīng tī le shí nián le.

B: 我十一岁的 时候开始踢足球，已经踢了十年了。

English Version

A: Do you like playing football?

B: Yes, very much.

A: When did you begin to play football?

B: I was 11 when I played football for the first time. It has been 10 years.

New Words

7. 非常　fēicháng　adv.　very, extremely
8. 开始　kāishǐ　v.　to begin, to start
9. 已经　yǐjīng　adv.　already

 4 在公司 **In the company** 04-4

Nǐ zài zhèr gōngzuò duō cháng shíjiān le?

A: 你在这儿工作 多 长 时间了？

Yǐjīng liǎng nián duō le, wǒ shì

B: 已经 两 年 多了，我是

èr líng yī yī nián lái de.

2011 年 来的。

Nǐ rènshi Xiè xiānsheng ma?

A: 你认识谢 先生 吗？

Rènshi, wǒmen shì dàxué tóngxué, zhège gōngzuò shì tā bāng wǒ jièshào de.

B: 认识，我们 是大学 同学，这个 工作 是他帮 我介绍 的。

English Version

A: How long have you been working here?

B: More than two years, since 2011.

A: Do you know Mr. Xie?

B: Yes. He is my college classmate. He recommended me for this job.

New Words

10. 长　cháng　adj.　long
11. 两　liǎng　num.　two
12. 帮　bāng　v.　to help, to assist
13. 介绍　jièshào　v.　to introduce, to recommend

注释
Notes

1 "是……的"句：强调施事
The Structure "是……的": emphasizing the agent of an action

在已经知道事情发生的情况下，可以用"是……的"强调动作的发出者。例如：

When the occurrence of an action is known, "是……的" can be used to emphasize the agent of the action. For example:

Object	是（V）	谁（Who）	动作（V）	的
这本书	是	我	买	的。
晚饭	是	妈妈	做	的。
电话	是	谁	打	的?

否定形式在"是"的前边加"不"。例如：
In the negative form, "不" is added before "是". For example:

Object	不	是	谁（Who）	动作（V）	的
这个汉字	不	是	大卫	写	的。
苹果	不	是	王方	买	的。
电话	不	是	我	接	的。

2 表示时间：……的时候 "……的时候" Indicating Time

"数量＋的时候"表示时间。例如：
"Num-M + 的时候" indicates time. For example:

（1）今天早上八点的时候我没在家。
（2）我十八岁的时候一个人来到北京。
（3）我十一岁的时候开始踢足球。

"动词＋的时候"也表示时间。例如：
"V + 的时候" also indicates time. For example:

（1）我睡觉的时候，我妈妈在做饭。
（2）麦克到学校的时候下雨了。
（3）王老师工作的时候，她丈夫开车去医院了。

3 时间副词"已经" *The Adverb of Time "已经"*

"已经"表示动作完成或者达到某种程度。例如：

"已经" indicates that an action has been completed or having reached a certain degree. For example:

（1）王老师已经回家了。

（2）我的身体已经好了。

（3）（足球我）已经踢了十年了。

练习
Exercises

1 分角色朗读课文 Role-play the dialogs.

2 根据课文内容回答问题 Answer the questions based on the dialogs.

① 这本书是谁写的？ Zhè běn shū shì shéi xiě de?

② 早上的电话是谁接的？ Zǎoshang de diànhuà shì shéi jiē de?

③ 他是什么时候开始踢足球的？ Tā shì shénme shíhou kāishǐ tī zúqiú de?

④ 他在那儿工作多长时间了？ Tā zài nàr gōngzuò duō cháng shíjiān le?

⑤ 工作是谁帮他介绍的？ Gōngzuò shì shéi bāng tā jièshào de?

3 用本课新学的语言点和词语描述图片

Describe the pictures using the newly-learned language points and words.

Wǒ zài zuò fàn ne, shì Mǎdīng ___ de diànhuà.
我 在 做 饭 呢，是 马丁____的 电话。

Zhège gōngzuò shì Wáng Fāng bāng wǒ
这个 工作 是 王 方 帮 我
de, wǒ xiǎng qǐng tā chī fàn.
____的，我 想 请 她 吃 饭。

Zhè běn shū shì wǒ xiě de, wǒ shì èrshí suì
这 本 书 是 我 写 的，我 是 二 十 岁
de ___ kāishǐ xiě shū de.
的____开始 写 书 的。

Wǒ shì liù suì kāishǐ dǎ lánqiú de, wǒ ___ xǐhuan dǎ lánqiú.
我 是 六 岁 开始 打 篮球 的，我____喜欢 打 篮球。

语音
Pronunciation

■ 句子的语法重音（1） Syntactic Stress in a Sentence (1) 🔊 04-5

在不表示特殊的思想和感情的情况下，根据语法结构的特点，把句子的某些部分重读的，叫语法重音。语法重音的位置比较固定，常见的规律是：谓语重读，补语重读，定语重读，状语重读。

Some parts of a sentence may be stressed just because of their syntactic features, without conveying any special idea or mood. This kind of stress is called syntactic stress, which often appears at fixed positions in a sentence, following common rules such as stressing the predicate, complement and attributive and adverbial modifiers.

（1）谓语重读 Stressing the Predicate

Wǒ xuéxí Hànyǔ.
我 学习 汉语。

Tā gēge shì yì míng yīshēng.
他哥哥是一名 医生。

Wáng xiǎojiě mǎile jǐ jiàn yīfu.
王 小姐买了几件衣服。

（2）补语重读 Stressing the Complement

Tāmen gāoxìng de tiàole qilai.
他们 高兴 得跳了起来。

Dàwèi dǎ lánqiú dǎ de fēicháng hǎo.
大卫 打 篮球打得 非常 好。

Jīntiān de yángròu zuò de hěn hǎochī.
今天 的 羊肉 做得很 好吃。

汉字
Characters

1 汉字的笔画（10）：㇄、㇉
Strokes of Chinese Characters (10)：㇄，㇉

	笔画名称 Stroke	运笔方向 Direction	例字 Example Characters
㇄	竖提 shùtí Vertical-Rising	㇄	长 cháng long 民 mín people
㇉	竖折折钩 shùzhézhégōu Vertical-Double-Turning-Hook	㇉	马 mǎ horse 写 xiě to write

2 ■ 认识独体字　Single-Component Characters

（1）"两"，字形像双套马车上架在马脖子上的器具和一对马鞍，意思是
"二"、"双"。

"两" originally looked like a yoke fastened across the necks of the horses and a pair of saddles of a two-horse carriage. It means "two" or "double".

liǎng

（2）"乐"，繁体（樂）本义为乐器，又指"音乐"（读 yuè），后来引申为
"喜悦"、"高兴"（读 lè）。

The complex form of "乐" (yuè), 樂, originally referred to musical instruments or "music" (pronounced "yuè"). Now it also means "joyous" and "happy"(pronounced "lè").

yuè/lè

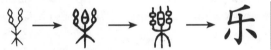 

（3）"长"，本义是拄拐杖的老人，现在除表示"年纪大的"（读 zhǎng）以
外，还表示两段之间的距离大（读 cháng）。

"长" originally referred to an old person holding a walking stick. Now it means "old" (pronounced "zhǎng") and also "a long distance between two sections" (pronounced "cháng").

zhǎng/cháng

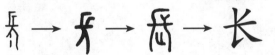 

3 ■ 汉字偏旁 "纟" 和 "忄"　Chinese Radicals: "纟" and "忄"

偏旁 Radical	解释 Explanation	例字 Example Characters		
纟	绞丝旁，一般和丝有关系。 The radical "纟" is usually related to silk.	给	gěi	to give
		结	jié	to tie, to knot
忄	竖心旁，一般和人的心理有关系。 The radical "忄", called "standing heart", is usually related to one's mentality.	忙	máng	busy
		快	kuài	quick, fast

运用
Application

1 双人活动　Pair Work

两人一组，对同学桌子上的东西进行提问。

Work in pairs and ask questions about the items on your partner's desk.

Zhège bǐ shì nǐ mǎi de ma?
例如：A: 这个 笔是你买的吗?

Bú shì, shì wǒ māma mǎi de.
B: 不 是，是我妈妈 买 的。

Zhège Hànzì shì nǐ xiě de ma?
A: 这个 汉字是你写的吗?

Duì, shì wǒ xiě de.
B: 对，是我写的。

2 小组活动　Group Work

3~4人一组，各带一张生日晚会的照片（类似下图），根据图片上的信息，说一说这个生日晚会是怎么准备的。

Work in groups of 3-4. Each group member brings a photo of a birthday party (like the photo below). Talk about how the birthday party was prepared based on the photo.

Zhège cài shì shéi zuò de?
例如：A: 这个 菜 是 谁 做 的?

Shì māma zuò de.
B: 是 妈妈 做 的。

Píngguǒ shì nǐ mǎi de ma?
A: 苹果　是你买的吗?

Bú shì wǒ mǎi de.
B: 不 是 我 买 的。

5

Jiù mǎi zhè jiàn ba

就买这件吧

Take this one

热身
Warm-up

1 给下面的词语选择对应的图片
Match the pictures with the words/phrases.

A

B

C

D

E

F

yú
① 鱼_____

kāfēi
② 咖啡_____

kǎo shì
③ 考试_____

yīfu
④ 衣服_____

dǎ qiú
⑤ 打球_____

xiūxi
⑥ 休息_____

2 看下面的图片，说说他们在什么地方做什么
Look at the pictures and describe what they are doing and where they are doing it.

zài (fànguǎn) chī fàn
① 在（饭馆）吃饭

zài (kāfēiguǎn) hē kāfēi
② 在（咖啡馆）喝咖啡

zài (xuéxiào) kǎo shì
③ 在（学校）考试

zài (shāngdiàn) mǎi yīfu
④ 在（商店）买衣服

33

课文
Text

1 在家里 **At home** 🔊 05-1

Wǎnshang wǒmen qù fànguǎn chī fàn, zěnmeyàng?
A: 晚上 我们 去 饭馆 吃饭，怎么样？

Wǒ bù xiǎng qù wàimiàn chī, wǒ xiǎng zài jiā chī.
B: 我 不 想 去 外面 吃，我 想 在 家 吃。

Nà nǐ zhǔnbèi zuò shénme ne?
A: 那 你 准备 做 什么 呢？

Jiù zuò nǐ ài chī de yú ba.
B: 就 做 你 爱 吃 的 鱼 吧。

English Version

A: Let's go to a restaurant for dinner. What do you think?

B: I don't want to eat out. I want to eat at home.

A: What are you planning to cook?

B: I'm thinking of fish, your favorite.

New Words

1. 外面 wàimiàn n. outside

2. 准备 zhǔnbèi v. to intend, to plan

3. 就 jiù adv. *used to indicate a conclusion or resolution*

4. 鱼 yú n. fish

5. 吧 ba part.
used at the end of a sentence to indicate consultation, suggestion, request or command

---

2 在商店 **In a store** 🔊 05-2

help

Bāng wǒ kàn yíxià zhè jiàn yīfu zěnmeyàng.
A: 帮 我 看 一下 这 件 衣服 怎么样。

Yánsè hái kěyǐ, jiùshì yǒudiǎnr dà.
B: 颜色 还 可以，就是 有点儿 大。

Zhè jiàn xiǎo de zěnmeyàng?
A: 这 件 小 的 怎么样？

Zhè jiàn búcuò, jiù mǎi zhè jiàn ba.
B: 这 件 不错，就 买 这 件 吧。

English Version

A: What do you think of this garment?

B: The color is OK, but it seems too large.

A: What about this small one?

B: This one is good. Take this one.

New Words

6. 件 jiàn m. (*used for clothes among other items*) piece

7. 还 hái adv. passably, fairly, rather

8. 可以 kěyǐ adj. not bad

9. 不错 búcuò adj. pretty good

3 在教室 **In the classroom** 💿 05-3

Jīntiān qù bu qù dǎ qiú?
A: 今天 去不去打球?

Zhè liǎng tiān yǒudiǎnr lèi, bú qù dǎ qiú le.
B: 这 两 天有点儿累,不去打球了。

Nǐ zài zuò shénme ne? Shì zài xiǎng zuótiān de
A: 你在 做 什么 呢?是 在 想 昨天 的

kǎoshì ma?
考试 吗?

Shì a, wǒ juéde tīng hé shuō hái kěyǐ, dú hé xiě bù hǎo, hěn duō zì
B: 是啊,我 觉得 听 和 说 还 可以,读和写不好,很多字

wǒ dōu bù zhīdào shì shénme yìsi.
我都不知道是 什么 意思。

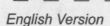

English Version

A: Will you go to play the ball today?

B: No, I won't. I've been feeling tired lately.

A: What are you doing? Are you thinking about yesterday's test?

B: Yes. I think I did OK in listening and speaking, but not in reading and writing, I didn't know the meanings of many characters.

New Words

10. 考试　kǎoshì　n.　test, exam
11. 意思　yìsi　n.　meaning

4 在公司 **In the company** 💿 05-4

Xiūxi yíxià ba, hē kāfēi ma?
A: 休息一下吧,喝咖啡吗?

Bù hē le, wǒ yǐjīng hē liǎng bēi le.
B: 不喝了,我已经喝 两 杯了。

Shì a, kāfēi hē duō le duì shēntǐ bù hǎo.
A: 是啊,咖啡喝多了对 身体不好。

Yǐhòu wǒ shǎo hē yìdiǎnr, měi tiān hē yì bēi.
B: 以后我少 喝一点儿,每 天喝一杯。

English Version

A: Let's take a rest. Would you like some coffee?

B: No, thanks. I've already had two cups.

A: Right. Too much coffee is bad for our health.

B: I'll drink less coffee. One cup a day.

New Words

12. 咖啡　kāfēi　n.　coffee
13. 对　duì　prep.
　　(*used before a noun or pronoun*) to, for
*14. 以后　yǐhòu　n.　after, afterwards, later

注释
Notes

1　副词"就"　The Adverb "就"

"就+动词"表示承接上文，得出结论。例如：

The structure "就 + verb" indicates a conclusion or a resolution made on the basis of what's been mentioned previously. For example:

（1）你不想去，就在家休息吧。

（2）这儿的咖啡不错，就喝咖啡吧。

（3）就做你爱吃的鱼吧。

*注　意：在"颜色还可以，就是有点儿大"这句话中，"就是"表示让步。

*Attention: In the sentence "颜色还可以，就是有点儿大", "就是" indicates concession.

2　语气副词"还"（1）　The Modal Adverb "还" (1)

"还+形容词"表示勉强过得去。例如：

The structure "还 + Adj" means that something is passable or acceptable. For example:

（1）A: 你身体怎么样？

　　　B: 还好。

（2）A: 这件衣服大吗？

　　　B: 还行，不太大。

（3）A: 昨天的考试怎么样？

　　　B: 我觉得听和说还可以，读和写不好。

3　程度副词"有点儿"　The Adverbial Modifier "有点儿"

"有点儿+形容词/动词"，一般表示说话人消极、不满的情绪。例如：

The structure "有点儿 + adjective/verb" indicates the speaker's negative mood or complaint. For example:

（1）今天天气有点儿冷。

（2）我昨天有点儿累。

（3）（这件衣服）有点儿大。

练习
Exercises

1　分角色朗读课文　Role-play the dialogs.

2　根据课文内容回答问题　Answer the questions based on the dialogs.

❶ 今天晚上他们在哪儿吃饭？Jīntiān wǎnshang tāmen zài nǎr chī fàn?

② 她觉得那件衣服怎么样？ Tā juéde nà jiàn yīfu zěnmeyàng?

③ 她今天为什么不去打球了？ Tā jīntiān wèi shénme bú qù dǎ qiú le?

④ 她觉得昨天的考试怎么样？ Tā juéde zuótiān de kǎoshì zěnmeyàng?

⑤ 他为什么以后每天就喝一杯咖啡？
Tā wèi shénme yǐhòu měi tiān jiù hē yì bēi kāfēi?

3 用本课所学的语言点和词语描述图片

Describe the pictures using the newly-learned language points and words.

Zhè jiàn yīfu　　　　　búcuò, jiùshì yǒudiǎnr xiǎo.
这 件衣服_____不错，就是有点儿 小。

Jīntiān　　　　wǎn, wǒmen míngtiān
今天_____晚，我们 明天
zài kàn ba.
再 看 吧。

Zhège kāfēiguǎn de kāfēi　　　　　wǒ měi tiān dōu
这个 咖啡馆 的咖啡_____，我 每 天 都
lái hē yì bēi.
来喝一杯。

Nǐmen bú qù wàimiàn chī, wǒ xiànzài　　　zhǔnbèi wǎnfàn.
你们 不去 外面 吃，我 现在_____准备 晚饭。

语音　　■■ 句子的语法重音（2） Syntactic Stress in a Sentence (2) 🔘 05-5

Pronunciation

（1）定语重读 Stressing the Attributive Modifier

Nà shì wǒ māma zuò de Zhōngguó cài.
那 是 我 妈妈 做 的 中国 菜。

Nàge xuéxiào shì Lǐ lǎoshī gōngzuòle hěn duō nián de dìfang.
那个 学校 是李老师 工作了 很 多 年 的 地方。

Wǒ zuì xǐhuan hóngsè de yīfu.
我 最 喜欢 红色 的 衣服。

（2）状语重读　Stressing the Adverbial Modifier

Nǐ de bēizi jiù zài nàr.

你 的 杯子 就 在 那儿。

Dàwèi de gǒu fēi yíyàng de pǎole guòqu.

大卫 的 狗 飞 一样 地 跑了 过去。

Wǒ bàba shì yīshēng, měi tiān cóng zǎo dào wǎn máng gōngzuò.

我 爸爸 是 医生，每 天 从 早 到 晚 忙　工作。

汉字 Characters

1 认识独体字　Single-Component Characters

（1）"鱼"，字形像头身齐全的鱼，表示"鱼"的意思。

The original form of "鱼" looks like a whole fish. It means "fish".

yú

象 → 象 → 象 → 鱼

| ⺈ | ⺈ | ⺈ | 鱼 | 鱼 | 鱼 | 鱼 |

（2）"衣"，字形像中国古代的上衣，现在泛指衣服。

The original form of "衣" looks like an ancient Chinese upper garment. Now it refers to all kinds of clothes.

yī

衣 → 衣 → 衣 → 衣

| 丶 | 亠 | 产 | 衣 | 衣 | 衣 | |

2 汉字偏旁"孑"和"广"　Chinese Radicals: "孑" and "广"

偏旁 Radical	解释 Explanation	例字 Example Characters
孑	子字旁，一般和孩子有关系。 The radical "孑" is usually related to children.	孩　hái　child 孙　sūn　grandson
广	广字头，一般和建筑有关系。 The radical "广" is usually related to buildings.	店　diàn　shop, store 床　chuáng　bed

运用
Application

1 双人活动　Pair Work

两人一组，询问对方的喜好。

Work in pairs and ask about your partner's likes.

Nǐ xǐhuan chī yú ma?
例如：A: 你 喜欢 吃鱼吗?

Hái kěyǐ.
B: 还 可以。

Nǐ xǐhuan hē kāfēi ma?
A: 你 喜欢 喝咖啡吗?

Bù xǐhuan, kāfēi yǒudiǎnr kǔ.
B: 不 喜欢，咖啡 有点儿 苦（bitter）。

lǚyóu, kàn diànyǐng, dǎ lánqiú,
旅游、看　电影、打 篮球、

chī Zhōngguó cài
吃　中国　菜

2 小组活动　Group Work

3~4人一组，互相询问并记录你的同学对某样东西或者某件事的看法，每组请
一位同学报告情况。

Work in groups of 3-4. Ask your group members' opinions on something and take notes.
Each group chooses a member to make a report.

Nǐ juéde zhè jiàn yīfu piàoliang ma?
例如：A: 你 觉得 这 件衣服 漂亮　吗?

Fēicháng piàoliang.
B: 非常　　漂亮。

Nǐ xǐhuan xiě Hànzì ma?
A: 你 喜欢 写 汉字 吗?

Hái kěyǐ.
B: 还 可以。

	人名 Name	非常+adj.	还可以/还不错	有点儿+adj.	不+adj.
1	小王 Xiǎo Wáng	衣服 yīfu	写汉字 xiě Hànzì		

文化 CULTURE

中国人的餐桌礼仪 Chinese Table Manners

中国人无论在家还是在饭馆，多人聚餐时一般会坐圆形餐桌，这样大家都可以面对面。在饭馆里入座的时候，主人的右手边是主客，左手边是次重要的客人。主人对面上菜的位置一般不能给客人坐。

通过餐桌上的菜也可以分辨主客。如果有鱼，鱼头要对着最主要的客人，表示主人对客人的尊重。

Chinese people prefer round tables when dining, no matter at home or in a restaurant, so that all can sit face-to-face. Seated in a restaurant, the host has the main guest on his right hand and the second-most important guest on his left. The seat opposite to the host, where dishes are served, usually cannot be offered to a guest.

One can tell the host from the guest through the dishes also. If there is a fish dish on the table, the head of the fish should point to the most important guest to show the host's respect for the guest.

6

Nǐ zěnme bù chī le
你怎么不吃了
Why don't you eat more

热身
Warm-up

1 给下面的词语选择对应的图片
Match the pictures with the phrases.

 A
 B
 C

 D
 E
 F

hē niúnǎi
① 喝牛奶 _____

qǐ chuáng
② 起 床_____

pǎo bù
③ 跑步_____

kàn bàozhǐ
④ 看 报纸_____

chī yào
⑤ 吃 药_____

dǎ lánqiú
⑥ 打篮球_____

2 看下面的图片，用汉语说出它们的名字
Look at the pictures and say the names of the following things in Chinese.

① _____

② _____

③ _____

④ _____

课文
Text

1 在学校 **In the school** 🔊 06-1

Nǐ zhīdào Xiǎo Wáng jīntiān shénme shíhou lái xuéxiào ma?
A: 你知道 小 王 今天 什么 时候来学校 吗?

Tā yǐjīng lái le.
B: 他已经来了。

Nǐ zěnme zhīdào tā lái le?
A: 你怎么 知道他来了?

Wǒ zài mén wài kànjiàn tā de zìxíngchē le.
B: 我 在 门 外 看见他的自行车了。

English Version

A: Do you know when Xiao Wang will
   come to school today?
B: He is already here.
A: How do you know?
B: I saw his bike outside the door.

New Words

1. 门 mén n. door, gate
2. 外 wài n. outer, outside
*3. 自行车 zìxíngchē n. bike

2 在饭馆 **In a restaurant** 🔊 06-2

Jīntiān de yángròu hěn hǎochī, nǐ zěnme bù chī le?
A: 今天 的 羊肉 很 好吃,你怎么不吃了?

Zhège xīngqī tiāntiān dōu chī yángròu, bù xiǎng chī le.
B: 这个星期 天天 都 吃 羊肉, 不 想 吃了。

Nà nǐ hái xiǎng chī shénme?
A: 那你还 想 吃 什么?

Lái yìdiǎnr miàntiáo ba.
B: 来一点儿面条 吧。

English Version

A: The mutton today is excellent. Why
   don't you eat more?
B: I eat mutton every day this week. I
   don't want to eat it any more.
A: What would you like then?
B: Some noodles please.

New Words

4. 羊肉 yángròu n. mutton
5. 好吃 hǎochī adj. delicious, yummy
6. 面条 miàntiáo n. noodles

3 在健身房 **In the gym** 🎧 06-3

Zuótiān nǐmen zěnme dōu méi qù dǎ lánqiú?

A: 昨天 你们 怎么 都 没去打篮球？

Yīnwèi zuótiān xià yǔ, suǒyǐ wǒmen dōu méi qù.

B: 因为 昨天 下雨，所以我们 都 没去。

Wǒ qù yóu yǒng le.

我 去 游 泳 了。

Nǐ jīngcháng yóu yǒng ma?

A: 你 经常 游 泳 吗？

Zhège yuè wǒ tiāntiān yóu yǒng, wǒ xiànzài qīshí gōngjīn le.

B: 这个 月 我 天天 游 泳，我 现在 七十 公斤 了。

English Version

A: Why didn't you guys go to
play basketball yesterday?

B: Because it rained yesterday.
I went swimming.

A: Do you often swim?

B: I swim every day this month.
I weigh 70 kilograms now.

New Words

7. 打篮球 dǎ lánqiú   to play basketball
8. 因为 yīnwèi conj. because, since
9. 所以 suǒyǐ conj. so, therefore
10. 游泳 yóu yǒng v. to swim
*11. 经常 jīngcháng adv. often, frequently
*12. 公斤 gōngjīn m. kilogram

4 在办公室 **In the office** 🎧 06-4

Zhè liǎng tiān zěnme méi kànjiàn Xiǎo Zhāng?

A: 这 两 天 怎么 没看见 小 张？

Tā qù Běijīng le.

B: 他 去 北京 了。

Qù Běijīng le? Shì qù lǚyóu ma?

A: 去 北京 了？是 去 旅游 吗？

Bú shì, tīngshuō shì qù kàn tā jiějie.

B: 不是，听说 是去 看他姐姐。

English Version

A: I haven't seen Xiao Zhang for days.
What's going on?

B: He has gone to Beijing.

A: Gone to Beijing? For traveling?

B: No. Visiting his elder sister, as far as
I've heard.

New Word

13. 姐姐 jiějie n. elder sister

注释
Notes

1 疑问代词"怎么" The Interrogative Pronoun "怎么"

用"怎么+动词/形容词"询问事情的原因，多表示奇怪、惊讶的语气。例如：

The structure "怎么 + verb/adjective" is used to ask about the reason for something, indicating surprise or astonishment. For example:

Subject	Predicate	
	怎么	动词/形容词（V/Adj）
你	怎么	不高兴？
今天	怎么	这么热？
昨天你们	怎么	都没去打篮球？

2 量词的重叠 Reduplication of Measure Words

量词重叠后表示"每一"的意思，常用来强调在某个范围内的每个成员都具有某种特征，后面一般用"都"。例如：

When a measure word is reduplicated, it means "every/each", emphasizing that a specific feature is shared by every member in a certain group, usually followed by "都". For example:

Subject	AA	都……
同学们	个个	都很高兴。
这个商店的衣服	件件	都很漂亮。
这个星期（我）	天天	都吃羊肉。

3 关联词"因为……，所以……"

The Pair of Conjunctions "因为……，所以……"

连接两个表示因果关系的分句，前一分句表示原因，后一分句表示结果。使用时可以成对出现，也可以省略其中一个。例如：

The two conjunctions are used to connect two clauses in a causative relation, the first clause being the cause and the second being the effect. One can use both or either of them in a sentence. For example:

因为……，	所以……
因为她生病了，	所以没去学校。
因为他每天跑步，	所以身体很好。
因为昨天下雨，	所以我们都没去（打篮球）。

练习
Exercises

1 分角色朗读课文　Role-play the dialogs.

2 根据课文内容回答问题　Answer the questions based on the dialogs.

① 小王今天来学校了吗？ Xiǎo Wáng jīntiān lái xuéxiào le ma?

② 他看见小王了没有？ Tā kànjiàn Xiǎo Wáng le méiyǒu?

③ 为什么他今天不想吃羊肉？ Wèi shénme tā jīntiān bù xiǎng chī yángròu?

④ 为什么昨天他们都没去打篮球？
Wèi shénme zuótiān tāmen dōu méi qù dǎ lánqiú?

⑤ 小张为什么去北京？ Xiǎo Zhāng wèi shénme qù Běijīng?

3 用本课新学的语言点和词语描述图片
Describe the pictures using the newly-learned language points and words.

Zhèr de yīfu
这儿的衣服＿＿＿＿＿＿＿＿＿＿。
jiànjiàn
（件件）

Nǚháirmen
女孩儿们＿＿＿＿＿＿＿。
gègè
（个个）

Yīnwèi tiānqì hěn lěng, suǒyǐ wǒ
因为 天气 很 冷，所以 我

＿＿＿＿＿＿＿＿＿＿。

Yīnwèi
因为＿＿＿＿＿＿，
suǒyǐ wǒmen zài jiā chī wǎnfàn.
所以 我们 在家 吃 晚饭。

语音 Pronunciation

■ 句子的逻辑重音　Logical Stress in a Sentence　06-5

一个句子中，说话人想要表达比较重要的信息或者内容，往往要说得重一些，这个重读的成分就叫作逻辑重音。逻辑重音又叫强调重音。

在不同语境中，逻辑重音出现在不同的位置。例如：

In a sentence, the information or content that the speaker focuses on is usually stressed. This is called the logical stress or emphatic stress.

The logical stress may appear at different positions in different contexts. For example:

Shéi zài fángjiān xuéxí Hànyǔ ne?
A：谁 在 房间 学习 汉语 呢？

Tā zài fángjiān xuéxí Hànyǔ ne.
B：他在 房间 学习 汉语 呢。

Tā zài nǎr xuéxí Hànyǔ ne?
A：他在哪儿学习 汉语 呢？

Tā zài fángjiān xuéxí Hànyǔ ne.
B：他在 房间 学习 汉语 呢。

同样一句话，逻辑重音的位置不同，语义的重点也会发生变化。例如：

The same sentence may have different semantic focuses when the position of the logical stress differs. For example:

Tā zài fángjiān xuéxí Hànyǔ ne.
A：他在 房间 学习 汉语 呢。

（是他在房间学习汉语，不是别的人。

It is him who is studying Chinese in the room, not other people.）

Tā zài fángjiān xuéxí Hànyǔ ne.
B：他在 房间 学习 汉语 呢。

（他是在房间学习汉语，不是在别的地方。

He is studying Chinese in the room rather than in other places.）

汉字 Characters

1 认识独体字　Single-Component Characters

（1）"门"，本义是房屋入口处可开关的两块门板。

"门" originally referred to the two panels of a door at the entrance of a house, which can open and close.

mén

門 → 門 → 門 → 门

（2）"羊"，字形像正面的羊头，表示"羊"的意思。

The original form of "羊" looks like a sheep's head facing us. It means "sheep".

yáng

2 汉字偏旁 "犭" 和 "忄"　Chinese Radicals: "犭" and "忄"

偏旁 Radical	解释 Explanation	例字 Example Characters
犭	反犬旁，一般和动物有关系。 The radical "犭" is usually related to animals.	猫　māo　cat 狗　gǒu　dog
忄	心字底，一般和人的思想活动及情感有关系。 The radical "忄" is usually related to one's mental activities and emotions.	想　xiǎng　to think 念　niàn　to miss

运用

Application

1 双人活动　Pair Work

两人一组，选择下列短句，用"因为……，所以……"练习说句子。

Work in pairs. Choose appropriate expressions from these given below and use "因为……，所以……" to make sentences.

Yīnwèi tiānqì bù hǎo,
例如：A: 因为　天气不好，

suǒyǐ wǒ méi qù shāngdiàn.
B: 所以我没去　商店。

gōngzuò tài máng
①工作　太忙

bù néng qù pǎo bù
②不能　去跑步

Hànzì tài nán le
③汉字太难了

wǒ bù xǐhuan xiě Hànzì
④我不喜欢写汉字

xià yǔ le
⑤下雨了

bù néng qù lǚyóu
⑥不能　去旅游

shēntǐ bù hǎo
⑦身体不好

tiāntiān chī yào
⑧天天　吃药

2 小组活动　Group Work

3~4人一组，用"怎么"互相提问并回答，每组请一位同学报告情况。

Work in groups of 3-4. Ask and answer questions using "怎么". Each group chooses a member to make a report.

Nǐ zěnme bù chī le?
例如：A: 你 怎么 不 吃 了？

Wǒ chīhǎo le.
B: 我　吃好 了。

	问题 Question	回答 Answer
1	不高兴 bù gāoxìng	考试没考好。 Kǎoshì méi kǎohǎo.

7

Nǐ jiā lí gōngsī yuǎn ma

你家离公司远吗

Do you live far from your company

热身
Warm-up

1 给下面的词语选择对应的图片

Match the pictures with the words/phrases.

A

B

C

D

E

F

kǎo shì
① 考试_____

shāngdiàn
② 商店_____

jīchǎng
③ 机场_____

lù
④ 路_____

jiàoshì
⑤ 教室_____

shíjiān
⑥ 时间_____

2 看下面的图片，用汉语说出它们的名字

Look at the pictures and say the names of the following things in Chinese.

① _____

② _____

③ _____

④ _____

49

课文
Text

1 在家里 **At home**  07-1

Dàwèi huílai le ma?

A: 大卫回来了吗？

Méiyǒu, tā hái zài jiàoshì xuéxí ne.

B: 没有，他还在教室学习呢。

Yǐjīng jiǔ diǎn duō le, tā zěnme hái zài xuéxí?

A: 已经9点多了，他怎么还在学习？

Míngtiān yǒu kǎoshì, tā shuō jīntiān yào hǎohāo zhǔnbèi.

B: 明天 有考试，他说 今天要 好好 准备。

English Version

A: Is David back?

B: No. He is still studying in the classroom.

A: It's after 9 o'clock. Why is he still studying?

B: There will be a test tomorrow. He said he'll
   work hard in preparation for it today.

New Word

1. 教室　jiàoshì　n.　classroom

2 去机场的路上 **On the way to the airport** 07-2

Nǐ xiànzài zài nǎr ne?

A: 你现在在哪儿呢？

Zài qù jīchǎng de lùshang. Nǐ yǐjīng dàole ma?

B: 在去机场的 路上。你已经 到了吗？

Wǒ xià fēijī le. Nǐ hái yǒu duō cháng shíjiān

A: 我下飞机了。你还有多 长 时间

néng dào zhèr?

能 到这儿？

Èrshí fēnzhōng jiù dào.

B: 二十 分钟 就到。

English Version

A: Where are you now?

B: I'm on the way to the airport. Have
   you arrived?

A: I've got off the plane. How many
   more minutes do you need to get here?

B: In 20 minutes.

New Words

2. 机场　jīchǎng　n.　airport
3. 路　lù　n.　road, path, way

3 在健身房 **In the gym** 💿 07-3

Nǐ jiā lí gōngsī yuǎn ma?
A: 你家离公司 远 吗?

Hěn yuǎn, zuò gōnggòng qìchē yào yí ge duō xiǎoshí ne!
B: 很 远, 坐 公共 汽车要一个多 小时 呢!

Zuò gōnggòng qìchē tài màn le, nǐ zěnme bù kāi chē?
A: 坐 公共 汽车太慢了,你怎么不开 车?

Kāi chē yě bú kuài, lùshang chē tài duō le!
B: 开车也不快, 路上 车太多了!

English Version

A: Do you live far from your company?

B: Yes, very far. It takes more than one hour by bus.

A: Buses are slow. Why don't you drive?

B: It's not fast either. There are too many cars on the road.

New Words

4. 离   lí   v.   to be away from

5. 公司   gōngsī   n.   company, firm

6. 远   yuǎn   adj.   far, distant

7. 公共汽车   gōnggòng qìchē   bus

8. 小时   xiǎoshí   n.   hour

9. 慢   màn   adj.   slow

10. 快   kuài   adj.   quick, fast

4 在路上 **On the way** 💿 07-4

Jīntiān wǎnshang wǒmen yìqǐ chī fàn ba, gěi nǐ guò shēngrì.
A: 今天 晚上 我们一起吃饭吧,给你过 生日。

Jīntiān? Lí wǒ de shēngrì hái yǒu yí ge duō xīngqī ne!
B: 今天? 离我的 生日还有一个多星期呢!

Xià ge xīngqī wǒ yào qù Běijīng, jīntiān guò ba.
A: 下个星期我要去北京,今天 过吧。

Hǎo ba, lí zhèr bù yuǎn yǒu yí ge Zhōngguó fànguǎn,
B: 好 吧,离这儿不 远 有一个 中国 饭馆,

zǒu jǐ fēnzhōng jiù dào le.
走几分钟 就到了。

English Version

A: Let's have dinner together tonight to celebrate your birthday.

B: Tonight? My birthday is more than one week later.

A: Next week I'll go to Beijing. Let's celebrate it today.

B: Fine. There's a Chinese restaurant nearby, only a few minutes' walk away.

New Words

*11. 过   guò   v.   to pass (time), to spend (time)

12. 走   zǒu   v.   to walk

13. 到   dào   v.   to arrive, to reach

注释
Notes

1 语气副词"还"（2） The Modal Adverb "还" (2)

表示动作或状态的延续，否定式用"还没"。例如：

It indicates the continuation of an action or a state. Its negative form is "还没". For example:

（1）八点了，他还在睡觉。

（2）你怎么还没吃饭？

（3）他还在教室学习呢。

2 时间副词"就" The Adverb of Time "就"

强调说话人认为事情发生得早，进行得快、顺利。例如：

It is used for emphasis, indicating that the speaker thinks something happened early or went fast and well. For example:

Subject	就……了
同学们	七点半就来教室了。
我	坐飞机一个半小时就到北京了。
（我）	二十分钟就到。

3 离 The Verb "离"

用来表示处所、时间、目的的距离。例如：

It indicates the distance from a place, moment or purpose. For example:

A	离	B	……
我家	离	学校	很远。
学校	离	机场	有20多公里。
	离	我的生日	还有一个多星期呢！

4 语气助词"呢" The Modal Particle "呢"

用于陈述句尾，可用在形容词谓语句和动词谓语句后边，表示确认事实，使对方信服，含有夸张的语气。例如：

It is used at the end of a declarative sentence or after a sentence with an adjectival or verbal predicate to confirm a fact and convince someone in an exaggerative mood. For example:

（1）八点上课，时间还早呢。

（2）医院离我们这儿还远呢。

（3）坐公共汽车要一个多小时呢！

练习
Exercises

1 分角色朗读课文　Role-play the dialogs.

2 根据课文内容回答问题　Answer the questions based on the dialogs.

① 大卫在哪儿学习呢？Dàwèi zài nǎr xuéxí ne?

② 九点多了，大卫为什么还不休息？
Jiǔ diǎn duō le, Dàwèi wèi shénme hái bù xiūxi?

③ 坐公共汽车一个小时能到公司吗？
Zuò gōnggòng qìchē yí ge xiǎoshí néng dào gōngsī ma?

④ 公司离家很远，她为什么不开车？
Gōngsī lí jiā hěn yuǎn, tā wèi shénme bù kāi chē?

⑤ 今天不是她的生日，为什么她朋友要今天给她过生日？
Jīntiān bú shì tā de shēngrì, wèi shénme tā péngyou yào jīntiān gěi tā guò shēngrì?

3 用本课新学的语言点和词语描述图片
Describe the pictures using the newly-learned language points and words.

Liǎng diǎn duō le, tā hái
两　点　多了，她还＿＿＿＿＿。

Xià kè le, tóngxuémen hái zài
下课了，同学们　还在＿＿＿＿＿。

Lí　　　　hái yǒu yí ge duō xīngqī ne.
离＿＿＿＿还有一个多星期呢。

Wǒ jiā　　　xuéxiào bú tài yuǎn.
我家＿＿＿＿学校不太远。

语音 Pronunciation

汉语的基本句调　Basic Intonations of Chinese Sentences 🔊 07-5

汉语的基本句调有两种：升调和降调。一般来说，疑问句读升调，陈述句读降调。例如：

There are two kinds of basic intonations in Chinese—the rising and the falling. Generally speaking, interrogative sentences have a rising intonation and declarative sentences have a falling intonation. For example:

Tā xìng Zhāng?
（1）他 姓　张？ ⤴

Tā xìng Zhāng.
（2）他 姓　张。 ⤵

Tā bù xǐhuan hē píjiǔ?
（3）他 不 喜欢 喝啤酒？ ⤴

Tā bù xǐhuan hē píjiǔ.
（4）他 不 喜欢 喝啤酒。 ⤵

汉字 Characters

汉字偏旁 "彳" 和 "攵"　Chinese Radicals: "彳" and "攵"

偏旁 Radical	解释 Explanation	例字 Example Characters
彳	双人旁，大多与行走有关系。 The radical "彳", called the "double-person" radical, is usually related to the act of walking.	行　xíng　to walk 往　wǎng　to go
攵	反文旁，大多与鞭打、敲打有关系。 The radical "攵" is usually related to the act of whipping or beating.	放　fàng to let go, to set free 收　shōu to receive, to accept

运用
Application

1 双人活动　Pair Work

两人一组，说说你经常去的一些地方，你是怎么去这些地方的。

Work in pairs. Talk about the places where you often go and how you go there.

Jīchǎng lí wǒ jiā fēicháng yuǎn, wǒ zuò chūzūchē qù jīchǎng.
例如：机场　离我家　非常　远，我坐　出租车　去　机场。

xuéxiào 学校	fànguǎn 饭馆	shāngdiàn 商店	yīyuàn 医院	gōngsī 公司	jīchǎng 机场
fēijī 飞机	zìxíngchē 自行车	chūzūchē 出租车	gōnggòng qìchē 公共　汽车		zǒu lù 走路

2 小组活动　Group Work

3~4人一组，互相询问各自的生日及过生日的方式，每组请一位同学报告情况。

Work in groups of 3-4. Ask about each other's birthdays and how to celebrate birthdays. Each group chooses a member to make a report.

	生日的时间 Date	如何过生日 How to celebrate birthday
1	我的生日是2月22号。 Wǒ de shēngrì shì èr yuè èrshí'èr hào.	生日的时候，我常和朋友去吃饭。 Shēngrì de shíhou, wǒ cháng hé péngyou qù chī fàn.

8

Ràng wǒ xiǎngxiang zài gàosu nǐ

让 我 想 想 再 告 诉 你

Let me think about it and I'll tell you later

热身
Warm-up

1 给下面的词语选择对应的图片
Match the pictures with the words.

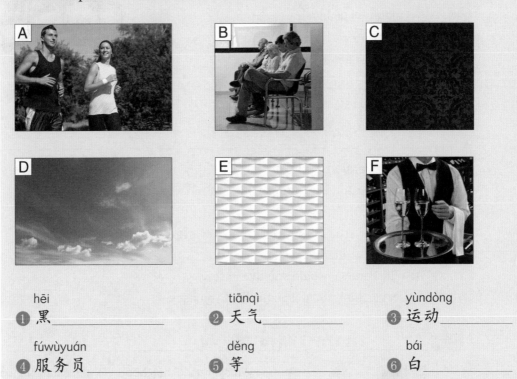

hēi
① 黑＿＿＿＿＿＿

tiānqì
② 天气＿＿＿＿＿

yùndòng
③ 运动＿＿＿＿＿

fúwùyuán
④ 服务员＿＿＿＿＿

děng
⑤ 等＿＿＿＿＿

bái
⑥ 白＿＿＿＿＿

2 试着说说下列词语的反义词
Try to say the antonyms of the following words.

dà
大——（　）

duō
多——（　）

kuài
快——（　）

lěng
冷——（　）

shàng
上——（　）

hēi
黑——（　）

57

课文
Text

1 在教室 **In the classroom** 🔘 08-1

Wǒmen xiàwǔ qù kàn diànyǐng, hǎo ma?
A: 我们 下午去看 电影, 好 吗?

Jīntiān xiàwǔ wǒ méiyǒu shíjiān, míngtiān
B: 今天 下午我 没有 时间, 明天

xiàwǔ zài qù ba.
下午再去吧。

Nǐ xiǎng kàn shénme diànyǐng?
A: 你 想 看 什么 电影?

Ràng wǒ xiǎngxiang zài gàosu nǐ.
B: 让 我 想想 再告诉你。

English Version

A: Let's go to see a movie this afternoon, shall we?

B: I'm not free this afternoon. Let's go tomorrow afternoon.

A: Which movie would you like to see?

B: Let me think about it and I'll tell you later.

New Words

1. 再 zài adv. again, once more
2. 让 ràng v. to let, to allow
3. 告诉 gàosù v. to tell

2 在宿舍 **In the Dorm** 🔘 08-2

Wàibian tiānqì hěn hǎo, wǒmen chūqu yùndòng yùndòng ba!
A: 外边 天气很 好, 我们 出去 运动 运动 吧!

Nǐ děngdeng wǒ, hǎo ma? Wáng lǎoshī ràng wǒ gěi Dàwèi
B: 你 等等 我, 好 吗? 王 老师 让 我给大卫

dǎ ge diànhuà.
打个 电话。

Huílai zài dǎ ba. Zhǎo Dàwèi yǒu shénme shìqing ma?
A: 回来再打吧。 找 大卫 有 什么 事情 吗?

Tīngshuō Dàwèi bìng le, wǒ xiǎng zhǎo shíjiān qù kànkan tā.
B: 听说 大卫 病了,我 想 找 时间 去看看他。

English Version

A: It's a nice day outside. Let's go out to do some exercise.

B: Please wait for me for a minute, will you? Professor Wang asked me to give David a call.

A: Call him after we come back. What's the matter?

B: I heard that David is sick. I want to visit him sometime.

New Words

4. 等 děng v. to wait, to await

5. 找 zhǎo v. to look for

6. 事情 shìqing n. thing, matter, affair

3 在宾馆的前台 **At the front desk of a hotel** 08-3

Fúwùyuán, wǒ fángjiān de mén dǎ bu kāi le.

A: 服务员，我 房间 的 门 打 不 开 了。

Nín zhù nǎge fángjiān?

B: 您 住 哪个 房间？

Sān yāo qī.

A: 317。

Hǎo de, wǒ jiào rén qù kànkan.

B: 好 的，我 叫 人 去 看看。

English Version

A: Excuse me, I can't open my door.

B: Which room do you stay in?

A: Room 317.

B: OK. I'll send someone to have a check.

New Word

7. 服务员　fúwùyuán　n.
　　　　　　　　attendant, waiter/waitress

---

4 在商店 **In a store** 08-4

Nǐ kànkan zhè jǐ jiàn yīfu zěnmeyàng.

A: 你 看看 这 几 件 衣服 怎么样。

Zhè jiàn bái de yǒudiǎnr cháng, nà jiàn

B: 这 件 白 的 有点儿 长，那 件

hēi de yǒudiǎnr guì.

黑 的 有点儿 贵。

Zhè jiàn hóng de ne? Zhè shì jīntiān xīn lái de.

A: 这 件 红 的 呢？ 这 是 今天 新 来 的。

Ràng wǒ zài kànkan.

B: 让 我 再 看看。

English Version

A: What do you think of these dresses?

B: This white one is a little bit too long. That black one is a bit expensive.

A: What about this red one? This one has just got here today.

B: Thanks. I'll look around.

New Words

8. 白　bái　adj.　white

9. 黑　hēi　adj.　black

10. 贵　guì　adj.　expensive

注释
Notes

1 疑问句 "……，好吗" The Interrogative Sentence "……，好吗"

常用来表示询问别人的意见和看法。例如：

It is used to ask about another person's idea or opinion. For example:

（1）我们一起去吃饭，好吗？

（2）你明天下午给我打电话，好吗？

（3）我们下午去看电影，好吗？

2 副词 "再" The Adverb "再"

表示一个动作或一种状态重复或继续，也可用来表示一个动作将要在某一情况下出现。例如：

It indicates the repetition or continuation of an action or a state. It can also indicate that an action will happen under a certain circumstance. For example:

Subject	Predicate	
	再	V（+O）
你	再	看看这本书吧。
你	（明天）再	给我打电话吧。
（你）	（让我想想）再	告诉你。

3 兼语句 Pivotal Sentences

兼语句的谓语是由两个动词短语组成，前一个动词的宾语是第二个动词的主语。前一个动词常常是 "请、让、叫" 等词语。例如：

The predicate of a pivotal sentence is made up of two verbal phrases, the object of the first verb being the subject of the second. The first verb is often a causative verb, such as "请" (to invite), "让" (to let) and "叫" (to ask) . For example:

Subject	V	O/S	Predicate
我	请	你	吃饭。
你	让	我	再想想。
我	叫	人	去看看。

4 动词的重叠　Reduplication of Verbs

动词的重叠形式用来表达短时间、少量、轻微、尝试的意思，语气比较轻松、随便，多用于口语中。例如：

The reduplicative form of a verb indicates a short time, a small quantity, a slight degree or an attempt, conveying a relaxed and casual mood. It is often used in spoken Chinese. For example:

单音节动词的重叠形式：Reduplicative forms of monosyllabic verbs:

A	AA	A一A
说	说说	说一说
听	听听	听一听
看	看看	看一看

双音节动词的重叠形式：Reduplicative forms of disyllabic verbs:

AB	ABAB
学习	学习学习
准备	准备准备
运动	运动运动

练习
Exercises

1 分角色朗读课文　Role-play the dialogs.

2 根据课文内容回答问题　Answer the questions based on the dialogs.

❶ 他们为什么今天下午不去看电影？
Tāmen wèi shénme jīntiān xiàwǔ bú qù kàn diànyǐng?

❷ 王老师为什么让他给大卫打电话？
Wáng lǎoshī wèi shénme ràng tā gěi Dàwèi dǎ diànhuà?

❸ 大卫怎么了？ Dàwèi zěnme le?

❹ 她为什么给服务员打电话？ Tā wèi shénme gěi fúwùyuán dǎ diànhuà?

❺ 她为什么不喜欢那件黑的？ Tā wèi shénme bù xǐhuan nà jiàn hēi de?

3 用本课新学的语言点和词语描述图片

Describe the pictures using the newly-learned language points and words.

Māma, wǒmen yìqǐ _____ hǎo ma?
妈妈，我们 一起_____，好 吗？

Zàijiàn, wǒ míngtiān zài
再见，我 明天 再_____。

Lǎoshī ràng wǒ zài
老师 让 我 再_____。

Lǎoshī jiào tóngxuémen
老师 叫 同学们_____。

语音
Pronunciation

陈述句的句调 Intonation of a Declarative Sentence   08-5

汉语的陈述句句调一般为降调。例如：

Declarative sentences in Chinese usually have a falling intonation. For example:

Wǒ xuéxí Hànyǔ.
（1）我 学习 汉语。＼

Tā shì wǒ de lǎoshī.
（2）他 是 我 的 老师。＼

Wàibian tiānqì hěn hǎo.
（3）外边 天气 很 好。＼

汉字
Characters

汉字偏旁 "又" 和 "巾"　Chinese Radicals: "又" and "巾"

偏旁 Radical	解释 Explanation	例字 Example Characters		
又	又字旁，字义比较多样。 The radical of "又" can have a variety of meanings.	欢 对	huān duì	merry, happy right, correct
巾	巾字底，大多与棉帛、纺织品有关系。 The radical "巾" is usually related to cotton or silk products or textiles.	帮 帽	bāng mào	to help, to aid hat, cap

运用
Application

1 双人活动　Pair Work

想想你们学过哪些动词。尽量把能重叠的动词都记录下来。

Think about the verbs you've learned. Find the ones that can be reduplicated and write them down.

例如：
kànkan/kàn yi kàn
看看 / 看一看

dúdu /dú yi dú
读读/读一读

_____

_____

_____

_____

2 小组活动　Group Work

3~4人一组，用课堂学过的兼语句互相练习，每组请一位同学做记录。

Work in groups of 3-4. Practice the pivotal sentences you've learned in class. Each group chooses a member to take notes.

	A	让/叫	B	做什么事情 To Do Sth.
1	老师 Lǎoshī	让 ràng	我 wǒ	写 汉字。 xiě Hànzì.

9

Tí tài duō, wǒ méi zuòwán

题太多，我没做完

There were too many questions; I didn't finish all of them

热身
Warm-up

1 给下面的词语选择对应的图片

Match the pictures with the words/phrases.

shàng bān
① 上　班＿＿＿＿＿

chàng gē
② 唱　歌＿＿＿＿＿

duì cuò
③ 对错＿＿＿＿＿

wèntí
④ 问题＿＿＿＿＿

dì　yī
⑤ 第一＿＿＿＿＿

tiào wǔ
⑥ 跳舞＿＿＿＿＿

2 给下面的动词加上合适的宾语

Add an appropriate object after each of the following verbs.

xué Hànyǔ
例如：学　汉语

kàn
看＿＿＿＿＿

xiě
写＿＿＿＿＿

chī
吃＿＿＿＿＿

hē
喝＿＿＿＿＿

dǎ
打＿＿＿＿＿

zuò
做＿＿＿＿＿

65

课文
Text

1 打电话 **On the phone**  09-1

Nǐ hǎo! Qǐngwèn Zhāng Huān zài ma?

A: 你好！请问 张 欢在吗？

Nǐ dǎcuò le, wǒmen zhèr méiyǒu

B: 你打错了，我们这儿没有

jiào Zhāng Huān de.

叫 张 欢的。

Duìbuqǐ.

A: 对不起。

English Version

A: Hello! May I speak to Zhang Huan?

B: You've got the wrong number.
There isn't a person called Zhang
Huan here.

A: I'm sorry.

New Word

1. 错　cuò　adj.　wrong, incorrect

2 在学校 **In the school** 09-2

Nín cóng jǐ suì kāishǐ xuéxí tiào wǔ?

A: 您 从 几岁 开始学习 跳 舞？

Wǒ dì yī cì tiào wǔ shì zài qī suì de shíhou.

B: 我 第一次跳 舞 是在七岁的 时候。

Wǒ nǚ'ér jīnnián yě qī suì le. Wǒ xīwàng tā

A: 我女儿今年 也七岁了。我 希望 她

néng gēn nín xué tiào wǔ, kěyǐ ma?

能 跟您学跳 舞，可以吗？

Méi wèntí, fēicháng huānyíng.

B: 没 问题，非常 欢迎。

English Version

A: At what age did you start to learn
dancing?

B: I was seven when I danced for the
first time.

A: My daughter is seven now. I hope she
can learn to dance from you, can she?

B: Sure. It's my pleasure.

New Words

2. 从　cóng　prep.　from
3. 跳舞　tiào wǔ　v.　to dance
4. 第一　dì yī　num.　first
5. 希望　xīwàng　v.　to hope, to wish
6. 问题　wèntí　n.　question, problem
*7. 欢迎　huānyíng　v.　to welcome

3 在家里 **At home** 09-3

Nǐ zhīdào ma? Dàwèi zhǎodào gōngzuò le.
A: 你知道吗？ 大卫 找到 工作 了。

Tài hǎo le! Tā cóng shénme shíhou kāishǐ shàng bān?
B: 太好了！ 他从 什么 时候 开始 上 班？

Cóng xià ge xīngqī yī kāishǐ.
A: 从 下个星期一开始。

Zhè shì tā de dì yī ge gōngzuò, xīwàng tā néng xǐhuan.
B: 这 是他的第一个 工作， 希望 他能 喜欢。

English Version

A: You know what? David has got a job.

B: That's great! When will he start to work?

A: Next Monday.

B: This is his first job. I hope he will like it.

New Word

8. 上班　shàng bān　v.　to work, to do a job

4 在教室 **In the classroom** 09-4

Zuótiān de kǎoshì zěnmeyàng?
A: 昨天 的考试 怎么样？

Nǐ dōu tīngdǒng le ma?
你都 听懂 了吗？

Tīngdǒng le.
B: 听懂 了。

Nǐ dōu zuòwán le méiyǒu?
A: 你都 做完了没有？

Tí tài duō, wǒ méi zuòwán.
B: 题太多，我没 做完。

English Version

A: How was the test yesterday? Did you understand everything you heard?

B: Yes, I did.

A: Did you finish the test paper?

B: There were too many questions, I didn't finish all of them.

New Words

9. 懂　dǒng　v.　to understand, to know

10. 完　wán　v.　to finish, to end

11. 题　tí　n.　question, problem

注释   **1**   结果补语   Complements of Result

Notes

一些动词或形容词可以放在动词后边，补充、说明动作的结果，它们叫作结果补语。例如：

Some verbs or adjectives can be used after a verb to add remarks about the result of an action. They are called complements of result. For example:

Subject	Predicate	
	V + Complement of result	Object
我	看　见	你的女朋友了。
我	听　懂	今天的汉语课了。
我	做　好	饭了。
大卫	找　到	工作了。

在结果补语前加"没（有）"表示否定，句尾不能用"了"。例如：

"没（有）" is added before the verb to form the negative form of a complement of result, in which case "了" cannot appear at the end of the sentence. For example:

Subject	Predicate	
	没（有）+ V + Complement of result	Object
我	没有　看　见	你的女朋友。
我	没　听　懂	他说的话。
我	没　做　完	（考试题）。

表示疑问时，常在句尾加上"（了）没有"。例如：

To form a question, "（了）没有" is often added at the end of the sentence. For example:

Subject	Predicate	
	V + Complement of result	Object + （了）没有？
你	看　见	我的女朋友了没有？
你	听　懂	他说的话没有？
你	（都）做　完	（考试题）了没有？

2 介词"从" The Preposition "从"

介词"从"引出一段时间、一段路程、一件事情的经过或者一个序列的起点，后面常跟"到"一起搭配使用。例如：

The preposition "从" introduces the starting point of a period of time, a distance, a process or a sequence, often used together with "到". For example:

从	A	到	B	……
从	北京	到	上海	要坐几个小时的飞机?
从	老人	到	孩子	都喜欢吃苹果。
从	下个星期一			开始（上班）。

3 "第~"表示顺序 "第~" Indicating Order

"第"常被放在数量短语前边，表示顺序。例如：

"第" is often used before a numeral-measure-word phrase to indicate order. For example:

第	数词（Num）	量词（M）	名词（N）
第	一	本	书
第	二	个	工作
第	一	次	跳舞

练习
Exercises

1 分角色朗读课文 Role-play the dialogs.

2 根据课文内容回答问题 Answer the questions based on the dialogs.

① 老师从几岁开始学跳舞? Lǎoshī cóng jǐ suì kāishǐ xué tiào wǔ?

② 老师想教她的女儿跳舞吗? Lǎoshī xiǎng jiāo tā de nǚ'ér tiào wǔ ma?

③ 大卫什么时候去工作? Dàwèi shénme shíhou qù gōngzuò?

④ 这次考试她都听懂了吗? Zhè cì kǎoshì tā dōu tīngdǒng le ma?

⑤ 她考试为什么没做完? Tā kǎoshì wèi shénme méi zuòwán?

3 用本课新学的语言点和词语描述图片

Describe the pictures using the newly-learned language points and words.

Yīfu nǐ   le méiyǒu?
衣服 你_____ 了 没有？

Zuòyè tài duō le, wǒ hái
作业 太 多 了，我 还_____。

Cóng bā diǎn dào shí'èr diǎn tāmen
从 八 点 到 十二 点 她们

dōu zài
都 在_____。

Wǒ dì yī cì
我 第一 次_____。

是非疑问句的句调　Intonation of a Yes-No Question 🔊 *09-5*

谓语部分重读，全句末为升调。例如：

The predicate is stressed, and the end of the sentence has a rising intonation. For example:

        Nǐ míngtiān qù xuéxiào ma? ♪
（1）你 明天 去 学校 吗？

        Tāmén dōu zhīdào zhè jiàn shì ma? ♪
（2）他们 都 知道 这 件 事 吗？

        Nǐ dōu tīngdǒng le ma? ♪
（3）你 都 听懂 了 吗？

汉字
Characters

汉字偏旁 "土" 和 "灬"   Chinese Radicals: "土" and "灬"

偏旁 Radical	解释 Explanation	例字 Example Characters
土	提土旁，多与泥土、土地、建筑物有关。 The radical "土" is usually related to soil, land or buildings.	块 kuài lump, piece 地 dì earth, land, ground
灬	四点底，多与火及用火有关系。 The radical "灬" is usually related to fire or the use of fire.	热 rè hot 黑 hēi black

运用
Application

1 双人活动   Pair Work

说说你有哪些兴趣爱好，比如唱歌、跳舞、画画儿、打球、游泳等等。你是从什么时候开始学习它们的？

Talk about your hobbies and interests, for example, singing, dancing, drawing, playing a ball game, swimming and so on. When did you begin to learn them?

爱好 Hobby/Interest	学习时间 Since When
唱歌 chàng gē	从8岁开始学习 cóng bā suì kāishǐ xuéxí

2 小组活动　Group Work

3~4人一组，用所给出的结果补语练习说句子，每组请一位同学做记录。

Work in groups of 3-4. Practice saying sentences using the given complements of result. Each group chooses a member to take notes.

	看见　听见　写完　看完　听懂　写错　买到
1	今天上午你看见大卫了吗？ Jīntiān shàngwǔ nǐ kànjiàn Dàwèi le ma?

10

Bié zhǎo le,　　shǒujī zài zhuōzi shang ne
别找了，手机在桌子上呢
Stop looking for your cell phone; it's on the desk

热身
Warm-up

1 给下面的词语选择对应的图片
Match the pictures with the words/phrases.

xīguā
❶ 西瓜_____

jīdàn
❷ 鸡蛋_____

xiūxi
❸ 休息_____

chī yào
❹ 吃 药_____

shǒujī
❺ 手机_____

zhǔnbèi wǔfàn
❻ 准备 午饭_____

2 给下面的动词加上合适的宾语
Add an appropriate object after each of the following verbs.

xué Hànyǔ
例如：学 汉语

tīng
听_____

tī
踢_____

wánr
玩儿 (to play)_____

xiě
写_____

xià
下_____

kāi
开_____

课文
Text

1 在家里 At home 🔊 10-1

Búyào kàn diànshì le, míngtiān shàngwǔ

A: 不要 看 电视 了，明天 上午

hái yǒu Hànyǔ kè ne.

还 有 汉语 课呢。

Kàn diànshì duì xué Hànyǔ yǒu bāngzhù.

B: 看 电视 对 学 汉语 有 帮助。

Míngtiān de kè nǐ dōu zhǔnbèi hǎo le ma?

A: 明天 的课你都 准备 好 了吗?

Dōu zhǔnbèi hǎo le.

B: 都 准备 好 了。

English Version

A: Stop watching TV. You'll have a Chinese class tomorrow morning.

B: Watching TV is good for Chinese learning.

A: Are you well prepared for the lessons tomorrow?

B: Yes, I am.

New Words

1. 课   kè   n.   class, lesson
2. 帮助   bāngzhù   v.   to help, to assist, to aid

2 在医院 In the hospital 🔊 10-2

Bié kàn bàozhǐ le, yīshēng shuō nǐ yào duō xiūxi.

A: 别 看 报纸 了，医生 说你要多 休息。

Hǎo, bú kàn le. Gěi wǒ yì bēi chá ba.

B: 好，不看 了。给我一杯 茶 吧。

Yīshēng shuō chī yào hòu liǎng ge xiǎoshí búyào hē chá.

A: 医生 说 吃 药后 两 个 小时 不要 喝茶。

Yīshēng hái shuō shénme le?

B: 医生 还说 什么 了?

Yīshēng ràng nǐ tīng wǒ de.

A: 医生 让你听我的。

English Version

A: Stop reading the newspaper. The doctor said you need more rest.

B: OK. Give me a cup of tea.

A: The doctor said you shouldn't drink tea during the first two hours after you've taken the medicine.

B: What else did the doctor say?

A: The doctor said you should listen to me.

New Word

3. 别   bié   adv.   don't

3 在家里 **At home** 💿 10-3

A: Nǐ zěnme mǎile zhème duō dōngxi a?
你怎么买了这么多 东西啊？

B: Gēge jīntiān zhōngwǔ huílai chī fàn.
哥哥今天 中午 回来吃饭。

A: Wǒ kànkan mǎi shénme le. Yángròu, jīdàn,
我 看看买 什么了。羊肉、鸡蛋、

miàntiáo, xīguā…… zhēn bù shǎo! Māma ne?
面条、 西瓜…… 真不少！妈妈呢？

B: Zhèngzài zhǔnbèi wǔfàn ne!
正在 准备 午饭呢！

English Version

A: Why did you buy so many things?

B: Our elder brother will come back to have lunch.

A: Let me see. Mutton, eggs, noodles, watermelon…That's a lot! Where is Mom?

B: She is preparing lunch!

New Words

4. 哥哥 gēge n. elder brother
5. 鸡蛋 jīdàn n. (hen's) egg
6. 西瓜 xīguā n. watermelon
7. 正在 zhèngzài adv. in the process of

4 在家里 **At home** 💿 10-4

A: Nǐ zài zhǎo shénme?
你在 找 什么？

B: Nǐ kànjiàn wǒ de shǒujī le ma? Báisè de.
你看见 我的手机了吗？白色的。

A: Bié zhǎo le, shǒujī zài zhuōzi shang ne,
别 找 了，手机在桌子 上 呢，
diànnǎo pángbiān.
电脑 旁边。

B: Nǐ kànjiàn wǒ de yīfu le ma? Hóngsè de nà jiàn.
你看见 我的衣服了吗？红色的那件。

A: Nà jiàn yīfu wǒ bāng nǐ xǐ le, zài wàibian ne.
那件衣服我 帮 你洗了，在 外边 呢。

English Version

A: What are you looking for?

B: Have you seen my cell phone? It's white.

A: Stop looking for your cell phone. It's on the desk, beside the computer.

B: Have you seen my garment? The red one.

A: I have washed it for you. It's hung outside.

New Words

8. 手机 shǒujī n. cell phone
9. 洗 xǐ v. to wash, to bathe

注释
Notes

1 祈使句：不要……了；别……了
The Imperative Sentence "不要……了/别……了"

表示劝阻或禁止做某件事情。例如：

This sentence structure is used to dissuade or forbid somebody from doing something. For example:

不要	V（+O）	了
不要	玩手机	了。
不要	做饭	了。
不要	看电视	了。

别	V（+O）	了
别	睡觉	了。
别	看书	了。
别	看报纸	了。

2 介词"对" The Preposition "对"

介词"对"可以表示人和人、人和事物、事物和事物之间的对待关系。例如：

The preposition "对" can indicate a subject-target relation between people or things. For example:

Subject	Predicate		
	对	O	V/Adj
跑步	对	身体	很好。
老师	对	学生	非常好。
看电视	对	学汉语	有帮助。

练习
Exercises

1 分角色朗读课文 Role-play the dialogs.

2 根据课文内容回答问题 Answer the questions based on the dialogs.

❶ 孩子们正在做什么？Háizimen zhèngzài zuò shénme?

❷ 妈妈为什么不让他们看电视了？
Māma wèi shénme bú ràng tāmen kàn diànshì le?

③ 吃药以后可以喝茶吗？ Chī yào yǐhòu kěyǐ hē chá ma?

④ 他今天都买了什么东西？ 为什么要买这么多？

　Tā jīntiān dōu mǎile shénme dōngxi? Wèi shénme yào mǎi zhème duō?

⑤ 你知道男的正在找什么吗？ Nǐ zhīdào nán de zhèngzài zhǎo shénme ma?

3 用本课新学的语言点和词语描述图片

Describe the pictures using the newly-learned language points and words.

Nǐ de bìng yǐjīng hǎo le, bié ____ le.
你的 病 已经 好 了，别_____了。

Bié ____ le, míngtiān hái yào
别_____了，明天 还要

shàng xué ne.
上　学 呢。

duì shēntǐ hěn hǎo.
_____对 身体 很 好。

duì xuéxí Yīngyǔ yǒu bāngzhù.
_____对学习 英语 有　帮助。

语音
Pronunciation

特指问句的句调 Intonation of a Specific Question 🔊 10-5

疑问代词重读，重音之后全句句调逐渐下降。例如：

The interrogative pronoun is stressed, and the intonation of the part of the sentence following the stress falls gradually. For example:

Zhè shì shéi de bǐ?
（1）这 是 谁 的 笔？ ↘

Nǐmen xuéxiào yǒu duōshao xuésheng?
（2）你们　学校 有 多少　学生？ ↘

Nǐ zài zhǎo shénme?
（3）你 在 找　什么？ ↘

汉字
Characters

汉字偏旁"走"和"穴" Chinese Radicals: "走" and "穴"

偏旁 Radical	解释 Explanation	例字 Example Characters
走	走字旁，一般与奔跑和行走有关。 The radical "走" is usually related to the act of running or walking.	超 chāo to exceed, to surpass 起 qǐ to get up, to rise
穴	穴字头，一般与孔洞、房屋有关。 The radical "穴" is usually related to holes, caves or houses.	空 kōng empty 穿 chuān to pierce through, to penetrate

运用
Application

1 双人活动 Pair Work

两人一组，选择下列词语，用"不要……了""别……了"练习说句子。

Work in pairs. Choose appropriate words and use "不要……了" "别……了" to make sentences.

Búyào wánr   diànnǎo le.
例如：不要 玩儿(to play) 电脑 了。

kàn 看	kāfēi 咖啡
chī 吃	shǒujī 手机
wán 玩	xīn yīfu 新衣服
mǎi 买	yào 药
hē 喝	diànshì 电视

2 小组活动　Group Work

3~4人一组，用介词"对"练习说句子，每组请一位同学做记录。

Work in groups of 3-4. Practice saying sentences with the preposition "对". Each group chooses a member to take notes.

	A	对	B	很好/不好
1	看电视 Kàn diànshì	对 duì	眼睛 yǎnjing	不好。 bù hǎo.

文化 CULTURE

中国的茶文化 Chinese Tea Culture

中国人喜欢喝茶。茶不仅好喝，而且对身体有好处。它可以提神醒脑、抵抗衰老、预防疾病，还有减肥的功效。中国茶有很多种，比如，红茶、绿茶、青茶、花茶等。随着季节的不同，人们会选择喝不同的茶。一般来说，春天的时候喝花茶，夏天的时候喝绿茶，秋天的时候喝青茶，冬天的时候喝红茶。

如果你有机会来中国，一定要体验一下中国的茶文化。

Chinese people love drinking tea. Tea is both delicious and beneficial to our health. It can help people refresh themselves, defer aging, prevent diseases and even lose weight. There are a variety of Chinese tea, such as black tea, non-fermented green tea, half-fermented green tea and scented tea. People drink different kinds of tea in different seasons. Generally speaking, people drink scented tea in spring, non-fermented green tea in summer, half-fermented green tea in autumn, and black tea in winter.

If you have an opportunity to visit China some day, you should have a taste of the Chinese tea culture.

11

Tā bǐ wǒ dà sān suì
他比我大三岁
He is three years older than me

热身
Warm-up

1 给下面的词语选择对应的图片
Match the pictures with the words/phrases.

 A
 B
 C
 D
 E
 F

tiào wǔ
① 跳舞＿＿＿＿＿＿

shuō huà
② 说 话＿＿＿＿＿＿

nǚ
③ 女＿＿＿＿＿＿

háizi
④ 孩子＿＿＿＿＿＿

chàng gē
⑤ 唱 歌＿＿＿＿＿＿

nán
⑥ 男＿＿＿＿＿＿

2 试着说说下列这些词语的反义词
Try to say the antonyms of the following words.

guì
贵——（　　）

duì
对——（　　）

zuǒ
左——（　　）

lái
来——（　　）

qián
前——（　　）

lǐ
里——（　　）

81

1 在歌厅 **In a karaoke bar** 11-1

Wáng Fāng, zuótiān hé nǐ yìqǐ chàng gē
A: 王　方，昨天和你一起唱　歌

de rén shì shéi?
的人是谁?

Yí ge péngyou.
B: 一个 朋友。

Shénme péngyou? Shì bu shì nánpéngyou?
A: 什 么 朋友? 是不是 男朋友?

Bú shì bú shì,　wǒ tóngxué jièshào de,　zuótiān dì yī cì jiàn.
B: 不 是 不 是，我 同学 介绍 的，昨天 第 一 次 见。

English Version

A: Wang Fang, who was the guy with you in the karaoke yesterday?

B: A friend.

A: What friend? Boyfriend?

B: No. My classmate set me up with him. We met only yesterday.

New Words

1. 唱歌　chàng gē　v.　to sing
2. 男　　nán　adj.　man, male

2 在宿舍 **In the dorm** 11-2

Zuǒbian zhège kàn bàozhǐ de nǚ háizi
A: 左边 这个 看 报纸 的 女孩子

shì nǐ jiějie ma?
是你姐姐吗?

Shì, yòubian xiě zì de nàge rén shì wǒ gēge.
B: 是，右边 写字 的 那个 人 是 我 哥哥。

Nǐ gēge duō dà?
A: 你哥哥多大?

Èrshíwǔ suì,　tā bǐ wǒ dà sān suì.
B: 25　 岁，他比我大三岁。

English Version

A: Is the girl on the left reading a newspaper your elder sister?

B: Yes. And the guy on the right writing is my elder brother.

A: How old is he?

B: 25. He is three years older than me.

New Words

3. 女　　nǚ　adj.　woman, female
4. 孩子　háizi　n.　child, kid
5. 右边　yòubian　n.　right, right side
6. 比　　bǐ　prep.
　　　　　than, (superior or inferior) to

3 在商店 **At a store** 🔘 *11-3*

Jīntiān de xīguā zěnme mài?
A: 今天 的 西瓜 怎么 卖？

Sān kuài wǔ yì jīn.
B: 三 块 五一斤。

Bǐ zuótiān piányi.
A: 比 昨天 便宜。

Shì, píngguǒ yě bǐ zuótiān piányi yìxiē.   Nín lái diǎnr ba.
B: 是，苹果 也 比 昨天 便宜 一些。您来点儿吧。

English Version

A: What's the price of watermelons today?

B: Three *yuan* and a half per 500 grams.

A: It's cheaper than the price yesterday.

B: Yes. The apples are also cheaper. Why not take some?

New Word

7. 便宜   piányi   adj.
       cheap, inexpensive

4 在学校 **In the school** 🔘 *11-4*

Qiánbian shuō huà de nàge rén jiù shì wǒ de Hànyǔ
A: 前边 说 话的那个人就是我的汉语

lǎoshī.   Nǐ kěnéng bú rènshi tā.
老师。你可能不认识她。

Shì xīn lái de Hànyǔ lǎoshī ma?
B: 是 新来的汉语 老师 吗？

Shì qùnián lái de,   tā xìng Wáng, èrshíbā suì.
A: 是 去年来的, 她姓 王, 28 岁。

Tā bǐ wǒmen lǎoshī xiǎo liǎng suì.
B: 她比我们 老师 小 两 岁。

English Version

A: The woman speaking in front of us is my Chinese teacher. You may not know her.

B: Is she a new-comer?

A: She came here last year. Her family name is Wang, 28 years old.

B: She is two years younger than my teacher.

New Words

8. 说话   shuō huà   v.   to speak, to say, to talk

9. 可能   kěnéng   aux.   maybe, perhaps, probably

10. 去年   qùnián   n.   last year

11. 姓   xìng   v.   family name, surname

注释
Notes

1 动词结构做定语　A Verb (Phrase) Used as an Attributive Modifier

动词或动词短语做定语时，定语和中心语之间要加"的"。例如：

When a verb or verb phrase is used as an attributive modifier, "的" should be put between the modifier and the word modified. For example:

定语（Attributive Modifier）	的	中心语（Word Modified）
新买	的	自行车
我妈妈做	的	饭
和你一起唱歌	的	人

2 "比"字句（1）　The "比" Sentence (1)

用"比"表示比较的句子叫"比"字句。"比"字句的谓语可以是形容词。例如：

A "比" sentence is a sentence using "比" to make a comparison. The predicate of the sentence can be an adjective. For example:

A	比	B	Adj
哥哥	比	姐姐	高。
今天	比	昨天	热。
（今天的西瓜）	比	昨天	便宜。

"比"字句的否定形式可以用"A没有B……"表示。例如：

"A没有B……" is the negative form of a "比" sentence. For example:

A	没有	B	Adj
哥哥	没有	姐姐	高。
今天	没有	昨天	热。
西瓜	没有	苹果	便宜。

要表达事物之间的差别时，用具体数量表示具体差别，用"一点儿""一些"表示差别不大，用"多""得多"表示差别大。例如：

When describing the difference between things, a specific number is used to specify the difference, "一点儿" or "一些" indicates the difference is slight, and "多" or "得多" indicates the difference is significant. For example:

A	比	B	Adj	数量短语（Num-M）
西瓜	比	苹果	贵	两块钱。
我的学习	比	他	好	一点儿。
今天	比	昨天	热	得多。
她	比	我们老师	小	两岁。

3 助动词"可能" The Auxiliary Verb "可能"

"可能"表示估计、也许、或许。常用在动词前，也可用在主语前。例如：

It means "maybe" indicating an estimation. It can be used before the verb or subject of a sentence. For example:

（1）他可能早就知道这件事情了。

（2）可能我明天不来上课了。

（3）你可能不认识她。

练习
Exercises

1 分角色朗读课文 Role-play the dialogs.

2 根据课文内容回答问题 Answer the questions based on the dialogs.

❶ 昨天和王方一起唱歌的人是谁？

Zuótiān hé Wáng Fāng yìqǐ chàng gē de rén shì shéi?

❷ 左边看报纸的女孩子是谁？ Zuǒbian kàn bàozhǐ de nǚ háizi shì shéi?

❸ 她的哥哥25岁了，她多大了？ Tā de gēge èrshíwǔ suì le, tā duō dà le?

❹ 昨天的西瓜可能卖多少钱？ Zuótiān de xīguā kěnéng mài duōshao qián?

❺ 王老师是新老师吗？ Wáng lǎoshī shì xīn lǎoshī ma?

3 用本课新学的语言点和词语描述图片

Describe the pictures using the newly-learned language points and words.

Lǜ píngguǒ bǐ hóng píngguǒ
绿 苹果 比 红 苹果_____。

Jiějie bǐ wǒ
姐姐比我_____。

Zuótiān sānshíwǔ dù, jīntiān
昨天　　　35°，　　今天

méiyǒu
没有_____。

Gēge xuéxí hěn hǎo, wǒ méiyǒu
哥哥学习 很 好，我 没有_____。

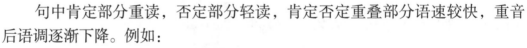

语音　■ 正反问句的句调　Intonation of an Affirmative-Negative Question 🔊 *11-5*

Pronunciation

句中肯定部分重读，否定部分轻读，肯定否定重叠部分语速较快，重音后语调逐渐下降。例如：

The affirmative part is stressed and the negative part is unstressed. The affirmative-negative phrase is read fast, and the intonation falls gradually after the stress. For example:

Míngtiān nǐ qù bu qù yínháng?
（1）明天 你 去不去 银行？ ↘

Zhè jiàn yīfu nǐ xǐhuan bu xǐhuan?
（2）这 件衣服你喜欢 不 喜欢？ ↘

Shíyī diǎn duō le, nǐ shuì bu shuì jiào?
（3）十一点 多 了，你 睡 不 睡 觉？ ↘

汉字
Characters

汉字偏旁 "疒" 和 "冫" Chinese Radicals: "疒" and "冫"

偏旁 Radical	解释 Explanation	例字 Example Characters		
疒	病字头，一般与疾病有关。 The radical "疒" is usually related to diseases.	病	bìng	disease; to be ill
		疯	fēng	mad, crazy
冫	两点水，一般与冰、寒冷有关。 The two-drop radical "冫" is usually related to ice or coldness.	冷	lěng	cold
		冰	bīng	ice

运用
Application

1 双人活动 Pair Work

两人一组，用"比"字句练习说句子。一个同学说肯定句，另一个同学把肯定句变成否定句。例如：

Work in pairs and make sentences with "比". One says an affirmative sentence and the other turns it into a negative one. For example:

肯定句 Affirmative	否定句 Negative
西瓜比苹果大。 Xīguā bǐ píngguǒ dà.	苹果没有西瓜大。 Píngguǒ méiyǒu xīguā dà.

2 小组活动　Group Work

把全班学生分成两个大组，每组学生轮流用"比"字句说句子。句子的内容要和班里的实际情况相符合。例如：

Divide the whole class into two big groups. Students in each group take turns to say a "比" sentence about an actual situation of the class. For example:

	A组　Group A	B组　Group B
1	我的眼睛比安妮（B组学生）大。 Wǒ de yǎnjing bǐ Ānni dà.	我的手机比大卫（A组学生）的贵三百块钱。 Wǒ de shǒujī bǐ Dàwèi de guì sānbǎi kuài qián.

12

Nǐ chuān de tài shǎo le
你穿得太少了
You wear too little

热身
Warm-up

1 给下面的词语选择对应的图片
Match the pictures with the words/phrases.

qīzi
❶ 妻子_____

shuì jiào
❷ 睡觉_____

fángjiān
❸ 房间_____

xià xuě
❹ 下雪_____

qǐ chuáng
❺ 起床_____

fángzi
❻ 房子_____

2 给下面的动词加上合适的宾语
Add an appropriate object after each of the following verbs.

xué Hànyǔ
例如：学 汉语

shuō
说_____

kāi
开_____

zhǔnbèi
准备_____

dú
读_____

zhǎo
找_____

xuéxí
学习_____

89

课文
Text

1 在教室 **In the classroom** 🔊 *12-1*

Nǐ měi tiān zǎoshang jǐ diǎn qǐ chuáng?
A: 你 每 天 早上 几点起 床？

Liù diǎn duō.
B: 六 点 多。

Nǐ bǐ wǒ zǎo qǐ yí ge xiǎoshí.
A: 你比我早起一个小时。

Wǒ shuì de yě zǎo, wǒ měi tiān wǎnshang shí diǎn
B: 我 睡得也早, 我每天 晚上 十点

jiù shuì jiào. Zǎo shuì zǎo qǐ shēntǐ hǎo.
就睡觉。早 睡早起身体好。

English Version

A: When do you get up every morning?

B: A few minutes past six.

A: You get up one hour earlier than I do.

B: I go to bed early also, at 10 o'clock
every night. It's healthy to keep early
hours.

New Word

1. 得 de part. *used after a verb or an*
adjective to introduce
a complement of result
or degree

---

2 在朋友家 **At a friend's home** 🔊 *12-2*

Zài lái diǎnr mǐfàn ba, nǐ chī de tài shǎo le.
A: 再来点儿米饭吧，你吃得太 少 了。

Bù shǎo le, jīntiān chī de hěn hǎo, tài xièxie nǐ le.
B: 不 少 了，今天吃得很 好，太谢谢你了。

Nǐ zuò fàn zuò de zěnmeyàng?
A: 你做饭做得怎么样？

Bù zěnmeyàng, wǒ qīzi bǐ wǒ zuò de hǎo.
B: 不 怎么样，我妻子比我做得好。

English Version

A: Have more rice, please. You ate too little.

B: Not a little actually. I've enjoyed the meal a lot.
Thank you so much.

A: How well can you cook?

B: Not very well. My wife is a better cook than I am.

New Word

2. 妻子 qīzi n. wife

3 在家门口 **At the door of the house** 🔊 *12-3*

Xià xuě le, jīntiān zhēn lěng.
A: 下雪了，今天 真 冷。

Yǒu líng xià shí dù ba?
B: 有 零 下 10度 吧？

Shì a, nǐ chuān de tài shǎo le, wǒmen
A: 是啊，你 穿 得太少 了，我们

jìn fángjiān ba.
进 房间 吧。

Hǎo ba.
B: 好 吧。

English Version

A: It's snowing. It's really cold today.

B: The temperature may be 10 degrees below zero, am I right?

A: Yes. You wear too little. Let's go inside the house, OK?

B: OK.

New Words

3. 雪 xuě n. snow
4. 零 líng num. zero
*5. 度 dù n. degree
6. 穿 chuān v. to wear, to put on
7. 进 jìn v. to enter, to come/go in

4 在家里 **At home** 🔊 *12-4*

Nǐ zài máng shénme ne?
A: 你在 忙 什么 呢？

Wǒ dìdi ràng wǒ bāng tā zhǎo ge fángzi, xiànzài
B: 我弟弟让我 帮 他 找 个 房子，现在

tā jiā lí gōngsī yǒudiǎnr yuǎn.
他家离公司 有点儿 远。

Zhù de yuǎn zhēn de hěn lèi!
A: 住得远 真 的 很 累！

Shì a, tā yě xīwàng néng zhù de jìn yìdiǎnr.
B: 是 啊，他也希望 能 住得近一点儿。

English Version

A: What are you busy with?

B: My younger brother asked me to find an apartment for him. He now lives far from the company.

A: It's really exhausting to live far.

B: It's true. He also wants to live nearer.

New Words

8. 弟弟 dìdi n. younger brother
9. 近 jìn adj. near, close

注释
Notes

1 状态补语 Complements of State

状态补语是对动作的结果、程度、状态等进行描述或评价，在形式上常用结构助词"得"来连接动词后的状态补语。例如：

A complement of state describes or evaluate the result, degree or state of an action. The structural particle "得" is often used to introduce the state after a verb. For example:

Subject	Predicate		
	V	得	Adj
他	说	得	很好。
我	起	得	很早。
我	睡	得	也早。

如果有宾语时，要把宾语提前，或者重复动词。例如：

If the verb takes an object, the object should be put before the verb, or the verb be reduplicated. For example:

Subject	Predicate			
	（V +）O	V	得	Adj
他	（说）汉语	说	得	很好。
我	（写）汉字	写	得	很好。
姐姐	（唱）歌	唱	得	不错。

表示否定时，要把否定词放在结构助词"得"的后边。例如：

In the negative form, the negative word should be put after the structural particle "得". For example:

Subject	Predicate		
	V	得	不 + Adj
他	说	得	不好。
我	起	得	不早。
我	住	得	不远。

Subject	Predicate			
	（V +）O	V	得	不 + Adj
他	（说）汉语	说	得	不好。
我	（写）汉字	写	得	不好。
姐姐	（唱）歌	唱	得	不太好。

状态补语的疑问形式是在结构助词"得"的后面使用"Adj + 不 + Adj"，构成正反疑问句。例如：

In the interrogative form, "得" is followed by the structure "Adj + 不 + Adj", forming an affirmative-negative sentence. For example:

Subject	Predicate		
	V	得	Adj + 不 + Adj
他	说	得	好不好？
姐姐	起	得	早不早？
你	住	得	远不远？

2 **"比"字句（2）** The "比" Sentence (2)

如果动词带状态补语，"比"可以放在动词前，也可放在补语前。例如：

If a verb takes a complement of state, "比" can be put before the verb or the complement. For example:

A	比	B	V + 得 + Adj
他	比	我	学得好。
姐姐	比	我	跑得快。
我妻子	比	我	做得好。

A	V + 得	比	B	Adj
他	学 得	比	我	好。
姐姐	跑 得	比	我	快。
我妻子	做 得	比	我	好。

练习
Exercises

1 分角色朗读课文　Role-play the dialogs.

2 根据课文内容回答问题　Answer the questions based on the dialogs.

❶ 她为什么每天晚上十点就睡觉？
Tā wèi shénme měi tiān wǎnshang shí diǎn jiù shuì jiào?

❷ 他们家谁做饭做得好？ Tāmen jiā shéi zuò fàn zuò de hǎo?

❸ 今天天气怎么样？ Jīntiān tiānqì zěnmeyàng?

❹ 她这两天在忙什么呢？ Tā zhè liǎng tiān zài máng shénme ne?

❺ 她弟弟为什么要找新的房子？ Tā dìdi wèi shénme yào zhǎo xīn de fángzi?

3 用本课新学的语言点和词语描述图片
Describe the pictures using the newly-learned language points and words.

Tā chàng de
她 唱 得＿＿＿＿＿＿＿。

Bàba kāi chē kāi de
爸爸开 车 开得＿＿＿＿＿＿。

Gēge bǐ wǒ chī de
哥哥比我 吃得＿＿＿＿＿＿。

Bàba bǐ māma zuò fàn zuò de
爸爸比 妈妈 做 饭 做得＿＿＿＿＿＿。

语音
Pronunciation

选择问句的句调　Intonation of an Alternative Question 🔊 12-5

句中供选择的部分重读，前一部分读升调，语速较慢，后一部分读降调。例如：

The alternatives are stressed, the former is a bit slow in a rising intonation and the latter in a falling intonation. For example:

Nǐ xǐhuan chī mǐfàn háishi chī miàntiáo?

（1）你 喜欢 吃米饭 还是 吃 面条？ ↘

Nǐ xiǎng jīntiān qù háishi míngtiān qù?

（2）你 想 今天去 还是 明天 去？ ↘

Nǐ qù xuéxiào shì kāi chē háishi zuò chē?

（3）你去 学校 是开车 还是 坐 车？ ↘

汉字
Characters

汉字偏旁 "止" 和 "冂"　Chinese Radicals: "止" and "冂"

偏旁 Radical	解释 Explanation	例字 Example Characters
止	止字旁，一般与脚趾有关。 The radical "止" is usually related to toes.	趾　zhǐ　toe 步　bù　step
冂	同字头，一般与一些事物的关系和形象有关。 The radical "冂" usually has something to do with relations among or images of things.	同　tóng　same 网　wǎng　net

运用
Application

1　双人活动　Pair Work

两人一组，用带助词 "得" 的状态补语练习说句子，尽量使用所给出的词语。

Work in pairs and make sentences with complements of state using "得". Use as many given words as possible.

Tā pǎo de hěn kuài.

例如：他 跑 得 很 快。

Wǒ pǎo de bú kuài.

我 跑 得 不 快。

	xué	zǒu	xiě	dú	xià	qǐ chuáng	shuì jiào	zhǔnbèi
动词 Verbs:	学	走	写	读	下	起 床	睡 觉	准备

	hǎo	kuài	piàoliang	búcuò	màn	dà
形容词 Adjectives:	好	快	漂亮	不错	慢	大

2 小组活动　Group Work

4~5人一组，进行"比"字句接龙的游戏。要求使用"A比B + V + 得 + Adj"或
"A + V + 得 + 比B + Adj"两种句型。

Work in groups of 4-5 and say sentences with "比" in relays. Use either "A比B + V + 得 +
Adj" or "A + V + 得 + 比B + Adj".

　　　　　　　　　　Wǒ bǐ Dàwèi pǎo de kuài.
例如：王方：我 比 大卫 跑 得 快。

　　　　　　　　　　Wǒ chàng de bǐ Ānni hǎo.
　　　　大卫：我　唱　得比安妮 好。

13

门开着呢

The door is open

热身
Warm-up

1 给下面的词语选择对应的图片
Match the pictures with the words.

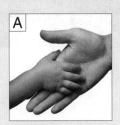 A

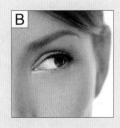 B

 C

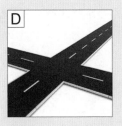 D

 E

 F

qiānbǐ
❶ 铅笔_____

shǒu
❷ 手_____

bīnguǎn
❸ 宾馆_____

ná
❹ 拿_____

yǎnjing
❺ 眼睛_____

lùkǒu
❻ 路口_____

2 给下面的动词加上合适的宾语
Add an appropriate object after each of the following verbs.

xué Hànyǔ
例如：学 汉语

xià
下_____

zuò
坐_____

tīng
听_____

shàng
上_____

sòng
送_____

ná
拿_____

课文
Text

1 在办公室 **In the office** 🔘 13-1

Mén kāi zhe ne, qǐng jìn.
A: 门 开着呢，请进。

Qǐngwèn, Zhāng xiānsheng zài ma?
B: 请问， 张 先生 在吗？

Tā chūqu le. Nǐ xiàwǔ zài lái ba.
A: 他出去了。你下午再来吧。

Hǎo de, xièxie!
B: 好 的，谢谢！

English Version

A: The door is open. Come on in.

B: Excuse me, is Mr. Zhang in?

A: He's gone out. Please come in the
   afternoon.

B: OK. Thank you!

New Word

1. 着 zhe part. *used to indicate a
                        state*

2 在办公室 **In the office** 🔘 13-2

Nàge zhèngzài shuōhuà de nǚháir shì shéi?
A: 那个 正在 说话 的女孩儿是 谁？

Wǒ zhīdào tā de míngzi, tā xìng Yáng, jiào Yáng Xiàoxiao,
B: 我 知道她的名字，她姓 杨， 叫 杨 笑笑，

tā jiějie shì wǒ tóngxué.
她姐姐是我 同学。

Nàge shǒu li názhe qiānbǐ de ne?
A: 那个手里拿着 铅笔 的呢？

Wǒ bú rènshi.
B: 我 不认识。

English Version

A: Who is the girl speaking?

B: I know her name. Her name is Yang
   Xiaoxiao. Yang is her family name.
   Her elder sister is my classmate.

A: What about the girl with a pencil in
   her hand?

B: That one I don't know.

New Words

2. 手   shǒu n. hand

*3. 拿   ná   v. to hold, to take, to bring

4. 铅笔   qiānbǐ n. pencil

Proper Noun

杨笑笑 Yáng Xiàoxiao *name of a person*

3 在运动场 On the playground 🔘 13-3

Tīngshuō nǐ yǒu nǚpéngyou le? Wǒ rènshi tā ma?
A: 听说 你有 女朋友 了？ 我认识她吗？

Jiù shì wǒmen bān nàge zhǎngzhe liǎng ge dà yǎnjing,
B: 就是 我们 班那个 长着 两个大眼睛，

fēicháng ài xiào de nǚháir.
非常 爱笑的女孩儿。

Tā bú shì yǒu nánpéngyou ma?
A: 她不是有 男朋友 吗？

Nàge yǐjīng shì tā de qián nányǒu le.
B: 那个已经是她的前 男友了。

English Version

A: I heard you have a girlfriend now? Do I know her?

B: She is the girl in our class with big eyes and a smiling face.

A: She's already got a boyfriend, hasn't she?

B: That's her ex now.

New Words

*5. 班 bān n. class, grade, team

*6. 长 zhǎng v. to grow, to develop

7. 笑 xiào v. to smile, to laugh

4 在路上 On the road 🔘 13-4

Qǐngwèn, zhèr lí Xīnjīng Bīnguǎn yuǎn ma?
A: 请问， 这儿离新京 宾馆 远 吗？

Bù yuǎn, zǒu lù èrshí fēnzhōng jiù dào.
B: 不远，走路二十 分钟 就到。

Nǐ néng gàosu wǒ zěnme zǒu ma?
A: 你能 告诉我怎么 走吗？

Cóng zhèr yìzhí wǎng qián zǒu, dàole qiánmiàn
B: 从 这儿一直往 前走，到了前面

de lùkǒu zài wǎng yòu zǒu.
的路口再 往 右走。

English Version

A: Excuse me, is Xinjing Hotel far away from here?

B: No, it's about a 20 minutes' walk.

A: Could you tell me how to get there?

B: Walk straight ahead from here and turn right at the first crossing.

New Words

8. 宾馆 bīnguǎn n. hotel

*9. 一直 yìzhí adv. straight, all along

10. 往 wǎng prep. to, towards

11. 路口 lùkǒu n. crossing, crossroads

注释
Notes

1 动态助词 "着"　The Aspect Particle "着"

动词加上动态助词 "着" 可以表示某种状态的持续。例如：

A verb followed by the aspect particle "着" can indicate the continuation of a certain state. For example:

Subject	Predicate		
	V	着	O
门	开	着。	
他们	穿	着	红色的衣服。
（她）	拿	着	铅笔。

在动词前加 "没" 表示否定。例如：

In the negative form, "没" is added before the verb. For example:

Subject	Predicate		
	没 + V	着	O
门	没开	着。	
他们	没穿	着	红色的衣服。
（她）	没拿	着	铅笔。

在句末加 "没有" 表示疑问。例如：

In the interrogative form, "没有" is added at the end of the sentence. For example:

Subject	Predicate			
	V	着	O	没有
门	开	着		没有？
他们	穿	着	红色的衣服	没有？
她（手里）	拿	着	铅笔	没有？

2 反问句"不是……吗" The Rhetorical Question "不是……吗"

"不是……吗"常用来表示提醒或者表达说话人的不理解、不满等。
例如：

"不是……吗" is often used to remind someone of something or to show confusion or dissatisfaction. For example:

（1）不是说今天有雨吗？怎么没下？

（2）你不是北京人吗？怎么不会说北京话？

（3）（她是你的女朋友？）她不是有男朋友了吗？

3 介词"往" The Preposition "往"

介词"往"常常用来指示方向。例如：

The preposition "往" is often used to indicate direction. For example:

（1）从这儿往前走，就是我们学校。

（2）你看，往左走是医院，往右走是银行。

（3）从这儿一直往前走，到了前面的路口再往右走。

练习
Exercises

1 分角色朗读课文 Role-play the dialogs.

2 根据课文内容回答问题 Answer the questions based on the dialogs.

❶ 张先生去哪儿了？Zhāng xiānsheng qù nǎr le?

❷ 杨笑笑是谁？Yáng Xiàoxiao shì shéi?

❸ 他的女朋友是谁？Tā de nǚpéngyou shì shéi?

❹ "前男友"是什么意思？"Qián nányǒu" shì shénme yìsi?

❺ 去新京宾馆怎么走？Qù Xīnjīng Bīnguǎn zěnme zǒu?

3 用本课新学的语言点和词语描述图片
Describe the pictures using the newly-learned language points and words.

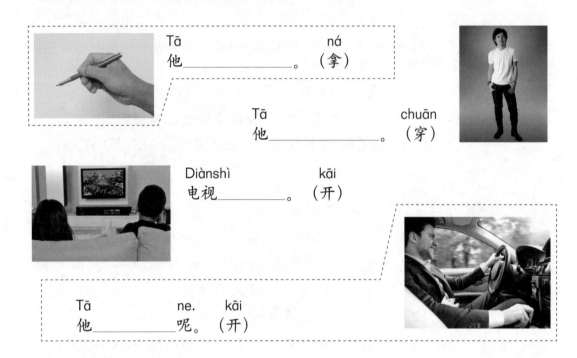

Tā   ná
他_____。（拿）

Tā   chuān
他_____。（穿）

Diànshì   kāi
电视_____。（开）

Tā   ne. kāi
他_____呢。（开）

语音
Pronunciation

■ 祈使句的句调　Intonation of an Imperative Sentence 🔊 *13-5*

　　语气委婉时，全句音高较低，第一个分句末尾语调略升，全句末尾语调缓降。例如：

When the tone is polite, the whole sentence is said in a low pitch, the first clause ending in a slightly rising intonation and the whole sentence ending in a smoothly falling intonation. For example:

　　Ràng wǒmen xiūxi xiūxi ba.
（1）让　我们休息休息吧。↘

　　Kuàidiǎnr xià kè ba.
（2）快点儿 下课吧。↘

　　Qǐng zuò ba.
（3）请　坐吧。↘

汉字
Characters

汉字偏旁 "斤" 和 "页"　Chinese Radicals: "斤" and "页"

偏旁 Radical	解释 Explanation	例字 Example Characters		
斤	斤字旁，一般与斧头及砍削的动作有关系。 The radical "斤" is usually related to axes or the action of cutting or whittling.	新 所	xīn suǒ	new place
页	页字旁，一般与人头、面部有关系。 The radical "页" is usually related to the human head or face.	颜 须	yán xū	face, look beard, mustache

运用
Application

1 双人活动　Pair Work

两人一组，其中一个人用 "往……" 说句子，另一个同学做出相应的动作，然后两个人交替进行。

Work in pairs. One says sentences using "往……", and the other acts accordingly. Then switch the roles.

例如：

wǎng qián zǒu
往　前　走

wǎng hòu pǎo
往　后　跑

wǎng zuǒ kàn
往　左　看

wǎng yòu zǒu
往　右　走

2 小组活动　Group Work

3~4人一组，用动态助词"着"描述图片内容。每组请一位同学做记录。

Work in groups of 3-4. Describe the picture using the aspect particle "着". Each group chooses a member to take notes.

Yǒu liǎng ge xuésheng chuānzhe báisè de yīfu.
例如：有　两　个　学生　　穿着　白色的衣服。

（1）＿＿＿＿＿＿＿＿＿＿＿＿＿＿＿＿＿＿＿＿。
　zuòzhe
（坐着）

（2）＿＿＿＿＿＿＿＿＿＿＿＿＿＿＿＿＿＿＿＿。
　chuānzhe
（穿着）

（3）＿＿＿＿＿＿＿＿＿＿＿＿＿＿＿＿＿＿＿＿。
　kànzhe
（看着）

（4）＿＿＿＿＿＿＿＿＿＿＿＿＿＿＿＿＿＿＿＿。
　shuōzhe
（说着）

（5）＿＿＿＿＿＿＿＿＿＿＿＿＿＿＿＿＿＿＿＿。
　tīngzhe
（听着）

（6）＿＿＿＿＿＿＿＿＿＿＿＿＿＿＿＿＿＿＿＿。
　názhe
（拿着）

（7）＿＿＿＿＿＿＿＿＿＿＿＿＿＿＿＿＿＿＿＿。
　xiàozhe
（笑着）

14

Nǐ kànguo nàge diànyǐng ma
你看过那个电影吗
Have you seen that movie

热身
Warm-up

1 给下面的词语选择对应的图片
Match the pictures with the words/phrases.

 A
 B
 C

 D
 E
 F

diànyǐngyuàn
① 电影院＿＿＿＿＿

děng
② 等＿＿＿＿＿

qíng
③ 晴＿＿＿＿＿

yìbǎi
④ 一百＿＿＿＿＿

dǎ diànhuà
⑤ 打电话＿＿＿＿

wánr
⑥ 玩儿＿＿＿＿＿

2 看下面的图片，用汉语说出它们的名字
Look at the pictures and say the names of the things in Chinese.

 ① ＿＿＿＿＿

 ② ＿＿＿＿＿

 ③ ＿＿＿＿＿

 ④ ＿＿＿＿＿

课文
Text

1　在教室　In the classroom 💿 *14-1*

Nǐ kànguo nàge diànyǐng méiyǒu?
A: 你看过那个电影 没有？

Méi kànguo, tīngshuō hěn yǒu yìsi.
B: 没 看过，听说 很有意思。

Nà wǒmen xià ge xīngqī yìqǐ qù kàn ba?
A: 那 我们 下个星期一起去看 吧？

Kěyǐ, dànshì wǒ nǚpéngyou yě xiǎng qù.
B: 可以，但是我女朋友也 想 去。

English Version

A: Have you seen that movie?

B: No. I was told it is fantastic.

A: Why don't we see it together next week?

B: OK. But my girlfriend also wants to go.

New Words

1. 有意思　yǒu yìsi　interesting, fun
2. 但是　dànshì　conj.　but, still, yet

2　在办公室　In the office 💿 *14-2*

Tīngshuō nǐ qùguo Zhōngguó, hái xiǎng qù ma?
A: 听说 你去过 中国，还 想 去吗？

Wǒ suīrán qùguo hǎojǐ cì, dànshì hái xiǎng
B: 我虽然去过好几次，但是还 想

zài qù wánrwanr.
再去玩儿玩儿。

Nà wǒmen yìqǐ qù ba.
A: 那 我们一起去吧。

Hǎo a, dào shíhou wǒ gěi nǐ dǎ diànhuà.
B: 好 啊，到时候我给你打 电话。

English Version

A: It's said you've been to China. Do you want to go there again?

B: Though I've been there several times, I still want to go for pleasure again.

A: Let's go together.

B: Great. I'll call you then.

New Words

3. 虽然　suīrán　conj.　although, though
4. 次　cì　m.　time
5. 玩儿　wánr　v.　to play, to have fun

3 在房间 **In the room** 14-3

Míngtiān tiānqì zěnmeyàng?
A: 明天 天气 怎么样?

Suīrán shì qíngtiān, dànshì hěn lěng.
B: 虽然 是 晴天, 但是 很 冷。

Nà hái néng qù pǎo bù ma?
A: 那 还 能 去 跑步 吗?

Kěyǐ, dànshì nǐ zìjǐ qù ba, wǒ hái yǒu hěn duō shìqing yào zuò.
B: 可以, 但是 你 自己 去 吧, 我 还 有 很 多 事情 要 做。

English Version

A: How will the weather be tomorrow?

B: It will be fine, but cold.

A: In that case, is it OK to go jogging?

B: I think so. But I'm afraid you have to go by yourself because I have a lot of work to do.

New Word

6. 晴 qíng adj. sunny, fine, clear

4 在商店 **In a store** 14-4

Nǐ zài zhège shāngdiàn mǎiguo dōngxi méiyǒu?
A: 你 在 这个 商店 买过 东西 没有?

Mǎiguo yí cì, zhèr de dōngxi hái kěyǐ,
B: 买过 一次, 这儿的 东西 还 可以,

jiùshi bù piányi.
就是 不 便宜。

Wǒ xǐhuan zhè jiàn yīfu, dànshì juéde yǒudiǎnr guì.
A: 我 喜欢 这 件 衣服, 但是 觉得 有点儿 贵。

Liǎngbǎi kuài hái kěyǐ, xǐhuan jiù mǎi ba.
B: 两百 块 还 可以, 喜欢 就 买 吧。

English Version

A: Have you ever bought anything in this store?

B: Yes, once. Things here are pretty good, not cheap though.

A: I like this garment, but I think it's a little expensive.

B: Two hundred *yuan* is not that expensive. If you like it, just buy it.

New Word

7. 百 bǎi num. hundred

注释
Notes

1 动态助词"过" The Aspect Particle "过"

动词后加上动态助词"过",一般用来表示过去有过的经历,这些动作行为没有持续到现在。例如:

A verb followed by the aspect particle "过" usually indicates a past experience action which hasn't lasted to the present. For example:

Subject	Predicate		
	V	过	O
他们	来	过	我家。
我	看	过	那个电影。
我	去	过	中国。

在动词前边加"没(有)"表示否定。例如:

In the negative form, "没(有)" is added before the verb. For example:

Subject	Predicate		
	没(有)+ V	过	O
他们	没(有)来	过	我家。
我	没(有)看	过	那个电影。
我	没(有)去	过	中国。

在句末加"没有"表示疑问。例如:

In the interrogative form, "没有" is added at the end of the sentence. For example:

Subject	Predicate		
	V	过	O + 没有
他们	来	过	你家没有?
你	看	过	那个电影没有?
你	去	过	中国没有?

2 关联词"虽然……,但是……"

The Pair of Conjunctions "虽然……,但是……"

"虽然……,但是……"连接两个分句,构成一种转折关系。例如:

The conjunctions "虽然……,但是……" connect two clauses, forming a complex sentence indicating an adversative relation. For example:

（1）虽然外面很冷，但是房间里很热。

（2）虽然汉字很难，但是我很喜欢写汉字。

（3）虽然是晴天，但是很冷。

3 动量补语"次" The Complement of Frequency "次"

动量补语"次"常放在谓语动词的后边，用来表示动作发生、进行的次数。例如：

The complement of frequency "次" is usually used after the predicate verb, indicating the number of times that an action has taken place. For example:

Subject	Predicate			
	V	过	Num + 次	O
我们	看	过	三次	电影。
他们	坐	过	一次	飞机。
（我）	（在这个商店）买	过	一次	（东西）。

宾语是表示地点的名词时，动量补语可以放在宾语前，也可以放在宾语后。例如：

When the object of a verb is a place, the complement of frequency can be put either before or after the object. For example:

Subject	Predicate			
	V	过	Num + 次	O
我们	去	过	三次	北京。
他们	来	过	一次	中国。
我	（上星期）去	过	一次	医院。

Subject	Predicate			
	V	过	O	Num + 次
我们	去	过	北京	三次。
他们	来	过	中国	一次。
我	（上星期）去	过	医院	一次。

宾语是人称代词时，动量补语要放在宾语后。例如：

When the object is a personal pronoun, the complement of frequency should be put after the object. For example:

Subject	Predicate			
	V	过	O	Num + 次
我们	找	过	他	三次。
他们	看	过	我	一次。
老师	叫	过	我	两次。

练习
Exercises

1 分角色朗读课文　Role-play the dialogs.

2 根据课文内容回答问题　Answer the questions based on the dialogs.

① 他们看过那个电影吗？ Tāmen kànguo nàge diànyǐng ma?

② 他们想几个人去看电影？ Tāmen xiǎng jǐ ge rén qù kàn diànyǐng?

③ 他们想来中国做什么？ Tāmen xiǎng lái Zhōngguó zuò shénme?

④ 为什么她明天不能去跑步？ Wèi shénme tā míngtiān bù néng qù pǎo bù?

⑤ 女的觉得这个商店的东西怎么样？
Nǚde juéde zhège shāngdiàn de dōngxi zěnmeyàng?

3 用本课新学的语言点和词语描述图片
Describe the pictures using the newly-learned language points and words.

Nǐ yǐqián　　zhè zhǒng shuǐguǒ ma?
你以前＿＿＿＿这 种　水果 吗？

Wǒ qùnián　　nǐ jiějie yí cì.
我 去年＿＿＿＿你姐姐一次。

110

Suīrán tiānqì hěn lěng, dànshì tā
虽然 天气 很 冷，但是 他＿＿＿＿＿。

Suīrán Yīngyǔ hěn nán, dànshì tā
虽然 英语 很 难，但是 她＿＿＿＿＿。

语音 Pronunciation

■ 感叹句的句调 Intonation of an Exclamatory Sentence 🔘 14-5

汉语感叹句的句调一般为降调。例如：

A Chinese exclamatory sentence usually has a falling intonation. For example:

Jīntiān tiānqì zhēn hǎo a!
（1）今天 天气 真 好啊! ↘

Zhège Hànzì zhēn nán xiě a!
（2）这个 汉字 真 难 写啊! ↘

Zhè jiàn yīfu tài piàoliang le!
（3）这 件衣服太 漂亮 了! ↘

汉字 Characters

■ 汉字偏旁"⻗"和"贝" Chinese Radicals: "⻗" and "贝"

偏旁 Radical	解释 Explanation	例字 Example Characters
⻗	雨字头，一般与云、雨等天气现象有关系。The radical "⻗", appearing at the top of a character, is usually related to such weather phenomena as clouds and rain.	雪 xuě snow 雾 wù fog, mist
贝	贝字旁，一般与钱财、鼎类器物有关系。The radical "贝" is usually related to money or utensils like an ancient cooking vessel.	财 cái wealth, money 货 huò goods, commodity

运用
Application

1 双人活动　Pair Work

两人一组，用"虽然A，但是B"练习说句子，其中一个人说A，另一个人说B。然后两人互换。

Work in pairs and make sentences using "虽然A，但是B". One says A and the other says B. Then switch the roles.

Suīrán zhè jiàn yīfu hěn piàoliang,
例如：A：虽然　这 件衣服很　漂亮，

dànshì tài guì le,　wǒ méi qián mǎi.
　　　B：但是 太 贵了，我 没 钱 买。

Suīrán jīntiān tiānqì hěn lěng,
　　　A：虽然　今天 天气 很 冷，

　　　B：……

2 小组活动　Group Work

3~4人一组，用动态助词"过"叙述自己在中国经历过的事情，尽量使用学过的词语。每组请一位同学报告情况。

Work in groups of 3-4. Describe your experiences in China using the aspect particle "过" with the words you've learned. Each group chooses a member to make a report.

	经历过的事情 Your Experiences
1	我在北京买过一件很漂亮的衣服。 Wǒ zài Běijīng mǎiguo yí jiàn hěn piàoliang de yīfu.

15

Xīnnián jiù yào dào le

新年就要到了

The New Year is coming

热身
Warm-up

1 给下面的词语选择对应的图片
Match the pictures with the words.

A

B

C

D

E

F

xīnnián
① 新年＿＿＿＿＿＿

piào
② 票＿＿＿＿＿

lǚyóu
③ 旅游＿＿＿＿＿＿

bāngzhù
④ 帮助＿＿＿＿＿＿

yīn
⑤ 阴＿＿＿＿＿

huǒchēzhàn
⑥ 火车站＿＿＿＿＿

2 看下面的图片，用汉语说出它们的名字
Look at the pictures and say the names of the things in Chinese.

① ＿＿＿＿＿

② ＿＿＿＿＿

③ ＿＿＿＿＿

④ ＿＿＿＿＿

HSK 标准教程 2
Standard Course 2

1 在朋友家 At a friend's home 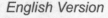 15-1

Jīntiān shì shí'èr yuè èrshí rì,　xīnnián jiù yào dào le.
A: 今天 是 12 月 20 日，新年 就要 到 了。

Xīnnián nǐ zhǔnbèi zuò shénme?
B: 新年 你 准备 做 什么？

Wǒ xiǎng qù Běijīng lǚyóu,　Běijīng hěn búcuò,
A: 我 想 去北京 旅游，北京 很 不错，

wǒ qùguo yí cì.
我 去过 一 次。

Nǐ mǎi piào le ma?
B: 你 买 票 了 吗？

Hái méiyǒu ne, míngtiān jiù qù huǒchēzhàn mǎi piào.
A: 还 没有 呢，明天 就去 火车站 买 票。

English Version

A: Today is December 20th. The New Year is coming.

B: What plans do you have?

A: I want to take a trip to Beijing. Beijing is a nice place. I've been there once.

B: Have you bought the ticket?

A: Not yet. I'll go to the railway station to buy it tomorrow.

New Words

1. 日　rì　n.　day, date
2. 新年　xīnnián　n.　New Year
3. 票　piào　n.　ticket
4. 火车站　huǒchēzhàn　n. railway station

2 在公司 In the company 15-2

Shíjiān guò de zhēn kuài,　xīn de yì nián kuàiyào dào le!
A: 时间 过得 真 快，新的一年 快要 到 了！

Shì a,　xièxie dàjiā zhè yì nián duì wǒ de bāngzhù!
B: 是 啊，谢谢 大家 这一年 对 我 的 帮助！

Xīwàng wǒmen de gōngsī míngnián gèng hǎo!
C: 希望 我们 的 公司 明年 更 好！

English Version

A: How time flies! The New Year is approaching!

B: Yes. Thank you all for your help during the past year.

C: I hope our company will become even better in the next year.

New Words

5. 大家　dàjiā　pron.　all, everybody
*6. 更　gèng　adv.　more, to a greater extent

114

3 在车站 **At the station** 🔊 *15-3*

Nǐ mèimei zěnme hái méi lái?
A: 你 妹妹 怎么 还 没来?

Dōu bā diǎn sìshí le!
都 八 点 四十 了!

Wǒmen zài děng tā jǐ fēnzhōng ba.
B: 我们 再 等 她 几 分钟 吧。

Dōu děng tā bàn ge xiǎoshí le!
A: 都 等 她 半 个 小时 了!

Tā lái le, wǒ tīngjiàn tā shuō huà le.
B: 她来了,我 听见 她 说 话 了。

English Version

A: Why hasn't your younger sister arrived
    yet? It's already eight forty.

B: Let's wait for a few more minutes.

A: We've already waited for half an hour.

B: She is here. I heard her voice.

New Word

7. 妹妹 mèimei n. younger sister

4 在咖啡馆门口 **Outside a coffee house** 🔊 *15-4*

Tiān yīn le, wǒ yào huíqu le.
A: 天 阴了,我 要 回去了。

Hǎo de. Kuàiyào xià yǔ le, nǐ lùshang màndiǎnr.
B: 好 的。快要 下雨了,你 路上 慢点儿。

Méi guānxi, wǒ zuò gōnggòng qìchē.
A: 没 关系,我 坐 公共 汽车。

Hǎo de. Zàijiàn.
B: 好 的。再见。

English Version

A: It's overcast. I have to go home.

B: OK. It's going to rain. Be careful on
    your way.

A: Don't worry. I'll take a bus.

B: Good. Bye.

New Word

8. 阴 yīn adj. overcast, cloudy

注释
Notes

1 动作的状态"要……了" "要……了" Indicating the State of an Action

用"快要/快/就要/要……了"表示某事将要发生。例如：

The structure "快要/快/就要/要……了" indicates that something is going to happen. For example:

Subject	Predicate		
	快要/快/就要/要	V（+O）	了
火车	快要	来	了。
	要	下雨	了。
新的一年	快要	到	了。

如果句子中有时间状语，只能用"就要……了"。例如：

If there is an adverbial of time in the sentence, then only "就要……了" can be used. For example:

时间状语 Adverbial of Time	Subject	Predicate		
		就要	V（+O）	了
下个月	我们	就要	回国	了。
明天	姐姐	就要	走	了。
下个星期	我们	就要	考试	了。

2 "都……了" The Structure "都……了"

"都……了"可以表示"已经"的意思，通常含有强调或不满的语气。例如：

The structure "都……了" means "already", usually conveying an emphatic or a complaining tone. For example:

（1）都8点了，快点儿起床吧。

（2）你都十岁了，可以自己洗衣服了。

（3）都等她半个小时了。

练习
Exercises

1 分角色朗读课文　Role-play the dialogs.

2 根据课文内容回答问题　Answer the questions based on the dialogs.

① 新年的时候他准备做什么？
Xīnnián de shíhou tā zhǔnbèi zuò shénme?

② 明天他有什么事要做？　Míngtiān tā yǒu shénme shì yào zuò?

③ 他们两个人在等谁呢？　Tāmen liǎng ge rén zài děng shéi ne?

④ 他们等的人来了没有？　Tāmen děng de rén láile méiyǒu?

⑤ 外面的天气怎么样？　Wàimiàn de tiānqì zěnmeyàng?

3 用本课新学的语言点和词语描述图片
Describe the pictures using the newly-learned language points and words.

Jiějie　　　jiù yào huí guó le.
姐姐_____就 要 回 国 了。

Qī diǎn wǔshí fēn le, wǒmen
7 点 50 分了，我们_____。

Dìdi dōu　　　le,　kěyǐ zìjǐ chī fàn le.
弟弟都_____了，可以自己吃饭了。

Dōu shí'èr diǎn le, shāngdiàn　　　le.
都 十二 点 了， 商店_____了。

语音
Pronunciation

■ 用"吧"和"吗"构成的疑问句的句调 🔊 *15-5*

Intonation of a Question Ending with "吧" or "吗"

　　用"吧"构成的疑问句的句调为降调，用"吗"构成的疑问句的句调为升调。例如：

　　A question ending with "吧" has a falling intonation, and one that ends with "吗" has a rising intonation. For example:

Zhè běn shū shì nǐ de ba?	Zhè běn shū shì nǐ de ma?
（1）这　本　书　是你的吧? ↘	这　本　书　是你的吗? ↗
Míngtiān shì xīngqī èr ba?	Míngtiān shì xīngqī èr ma?
（2）明天　　是星期二吧? ↘	明天　　是星期二吗? ↗
Nǐ mǎi piào le ba?	Nǐ mǎi piào le ma?
（3）你买　票　了吧? ↘	你买　票　了吗? ↗

汉字
Characters

■ 汉字偏旁"山"和"大"　Chinese Radicals: "山" and "大"

偏旁 Radical	解释 Explanation	例字 Example Characters		
山	山字旁，一般与山的名称、种类、形状及岛屿有关系。 The radical "山" is usually related to the various names, types and forms of mountains or to islands.	岭	lǐng	ridge of a mountain
		岖	qū	(*used to describe mountain paths, etc.*) rugged, rough
大	大字旁，一般与人有关系。 The radical "大" is usually related to people.	天	tiān	sky
		夫	fū	husband

运用
Application

1 双人活动 Pair Work

两人一组，互相询问对方今年的新年都有什么打算。
Work in pairs and ask about your partner's plans for the New Year.

Xīnnián nǐ xiǎng zài nǎr guò?
例如：A：新年 你 想 在哪儿过？

B：……

Nǐ xiǎng hé shéi yìqǐ guò xīnnián?
A：你 想 和谁一起 过 新年？

B：……

Nǐ xiǎng sòng gěi péngyou shénme xīnnián lǐwù?
A：你 想 送 给 朋友 什么 新年 礼物？

B：……

2 小组活动 Group Work

3~4人一组，说说你自己或者你的家人、朋友们在以后的几个月里学习上、
生活上、工作上都有哪些计划或者变化。用"快要/快/就要/要……了"进行
表述。每组请一位同学做记录。

Work in groups of 3-4. Talk about the plans or changes that you, your family members or
your friends have or will have regarding study, life or work during the next few months. Use
the structure "快要/快/就要/要……了". Each group chooses a member to take notes.

1	下个月5号是弟弟的生日， Xià ge yuè wǔ hào shì dìdi de shēngrì,	他快要15岁了。 tā kuàiyào shíwǔ suì le.

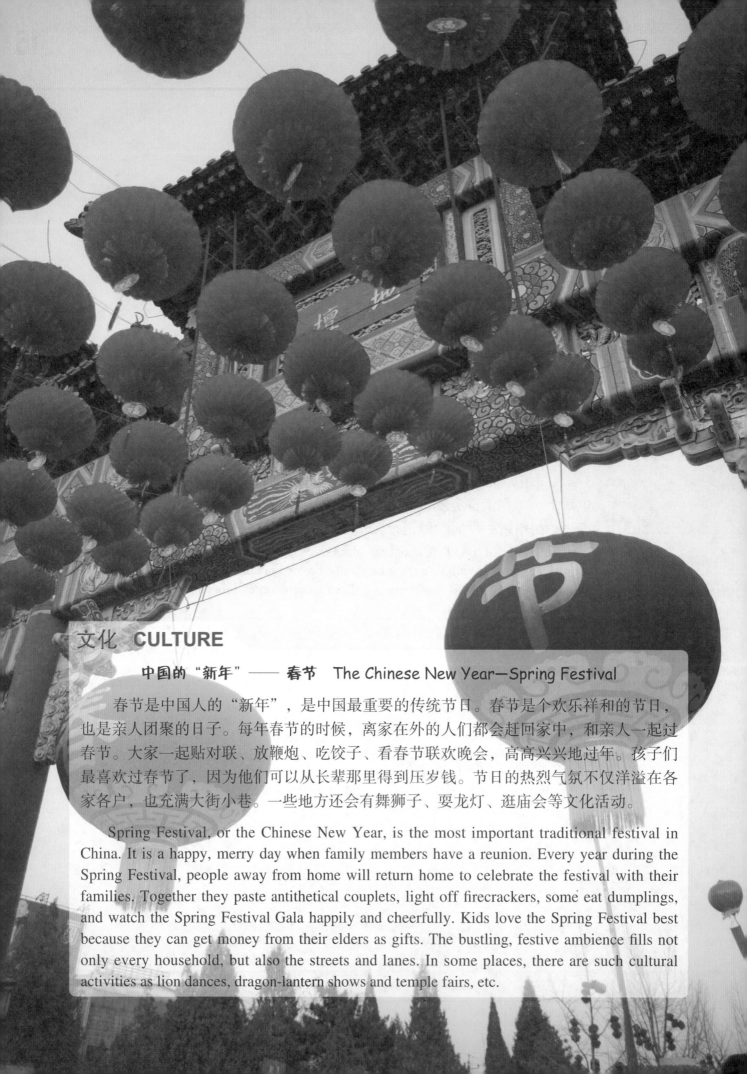

文化　CULTURE

中国的"新年"——春节　The Chinese New Year—Spring Festival

春节是中国人的"新年"，是中国最重要的传统节日。春节是个欢乐祥和的节日，也是亲人团聚的日子。每年春节的时候，离家在外的人们都会赶回家中，和亲人一起过春节。大家一起贴对联、放鞭炮、吃饺子、看春节联欢晚会，高高兴兴地过年。孩子们最喜欢过春节了，因为他们可以从长辈那里得到压岁钱。节日的热烈气氛不仅洋溢在各家各户，也充满大街小巷。一些地方还会有舞狮子、耍龙灯、逛庙会等文化活动。

Spring Festival, or the Chinese New Year, is the most important traditional festival in China. It is a happy, merry day when family members have a reunion. Every year during the Spring Festival, people away from home will return home to celebrate the festival with their families. Together they paste antithetical couplets, light off firecrackers, some eat dumplings, and watch the Spring Festival Gala happily and cheerfully. Kids love the Spring Festival best because they can get money from their elders as gifts. The bustling, festive ambience fills not only every household, but also the streets and lanes. In some places, there are such cultural activities as lion dances, dragon-lantern shows and temple fairs, etc.

词语总表 Vocabulary

词性对照表 Abbreviations of Parts of Speech

词性 Part of Speech	英文简称 Abbreviation	词性 Part of Speech	英文简称 Abbreviation
名词	n.	副词	adv.
动词	v.	介词	prep.
形容词	adj.	连词	conj.
代词	pron.	助词	part.
数词	num.	叹词	int.
量词	m.	拟声词	onom.
数量词	num.-m.	前缀	pref.
助动词	aux.	后缀	suf.

生词 New Words

词语 Word/Phrase	拼音 Pinyin	词性 Part of Speech	词义 Meaning	课号 Lesson
B				
吧	ba	part.	*used at the end of a sentence to indicate consultation, suggestion, request or command*	5
白	bái	adj.	white	8
百	bǎi	num.	hundred	14
帮助	bāngzhù	v.	to help, to assist, to aid	10
报纸	bàozhǐ	n.	newspaper	3
比	bǐ	prep.	than, (superior or inferior) to	11
别	bié	adv.	don't	10
宾馆	bīnguǎn	n.	hotel	13
C				
长	cháng	adj.	long	4
唱歌	chàng gē	v.	to sing	11
出	chū	v.	to come/go out	2
穿	chuān	v.	to wear, to put on	12
次	cì	m.	time	14

从	cóng	prep.	from	9
错	cuò	adj.	wrong, incorrect	9
D				
打篮球	dǎ lánqiú		to play basketball	6
大家	dàjiā	pron.	all, everybody	15
但是	dànshì	conj.	but, still, yet	14
到	dào	v.	to arrive, to reach	7
得	de	part.	*used after a verb or an adjective to introduce a complement of result or degree*	12
等	děng	v.	to wait, to await	8
弟弟	dìdi	n.	young brother	12
第一	dì yī	num.	first	9
懂	dǒng	v.	to understand, to know	9
对	duì	prep.	*(used before a noun or pronoun)* to, for	5
F				
房间	fángjiān	n.	room	3
非常	fēicháng	adv.	very, extremely	4
服务员	fúwùyuán	n.	attendant, waiter/waitress	8
G				
高	gāo	adj.	tall, high	2
告诉	gàosù	v.	to tell	8
哥哥	gēge	n.	elder brother	10
给	gěi	prep.	*(used after a verb)* to, for	4
公共汽车	gōnggòng qìchē		bus	7
公司	gōngsī	n.	company, firm	7
贵	guì	adj.	expensive	8
H				
还	hái	adv.	passably, fairly, rather	5
孩子	háizi	n.	child, kid	11
好吃	hǎochī	adj.	delicious, yummy	6
黑	hēi	adj.	black	8
红	hóng	adj.	red	3
火车站	huǒchēzhàn	n.	railway station	15
J				
机场	jīchǎng	n.	airport	7
鸡蛋	jīdàn	n.	(hen's) egg	10
件	jiàn	m.	*(used for clothes among other items)* piece	5

觉得	juéde	v.	to think, to feel	1
教室	jiàoshì	n.	classroom	7
姐姐	jiějie	n.	elder sister	6
介绍	jièshào	v.	to introduce, to recommend	4
进	jìn	v.	to enter, to come/go in	12
近	jìn	adj.	near, close	12
就	jiù	adv.	*used to indicate a conclusion or resolution*	5
K				
咖啡	kāfēi	n.	coffee	5
开始	kāishǐ	v.	to begin, to start	4
考试	kǎoshì	n.	test, exam	5
可能	kěnéng	aux.	maybe, perhaps, probably	11
可以	kěyǐ	adj.	not bad	5
课	kè	n.	class, lesson	10
快	kuài	adj.	quick, fast	7
快乐	kuàilè	adj.	happy, glad	4
L				
离	lí	v.	to be away from	7
两	liǎng	num.	two	4
零	líng	num.	zero	12
路	lù	n.	road, path, way	7
旅游	lǚyóu	v.	to travel, to take a trip	1
M				
慢	màn	adj.	slow	7
忙	máng	adj.	busy	2
每	měi	pron.	every, each	2
妹妹	mèimei	n.	younger sister	15
门	mén	n.	door, gate	6
面条	miàntiáo	n.	noodles	6
N				
男	nán	adj.	man, male	11
牛奶	niúnǎi	n.	milk	3
女	nǚ	adj.	woman, female	11
P				
旁边	pángbiān	n.	beside	3
跑步	pǎo bù	v.	to run, to jog	2

便宜	piányi	adj.	cheap, inexpensive	11
票	piào	n.	ticket	15
Q				
妻子	qīzi	n.	wife	12
起床	qǐ chuáng	v.	to get up, to get out of bed	2
千	qiān	num.	thousand	3
铅笔	qiānbǐ	n.	pencil	13
晴	qíng	adj.	sunny, fine, clear	14
去年	qùnián	n.	last year	11
R				
让	ràng	v.	to let, to allow	8
日	rì	n.	day, date	15
S				
上班	shàng bān	v.	to work, to do a job	9
身体	shēntǐ	n.	body	2
生病	shēng bìng	v.	to fall ill, to be sick	2
生日	shēngrì	n.	birthday	4
时间	shíjiān	n.	time	2
事情	shìqing	n.	thing, matter, affair	8
手表	shǒubiǎo	n.	watch	3
手机	shǒujī	n.	cell phone	10
说话	shuō huà	v.	to speak, to say, to talk	11
送	sòng	v.	to send, to deliver	3
虽然	suīrán	conj.	although, though	14
所以	suǒyǐ	conj.	so, therefore	6
T				
它	tā	pron.	it	1
踢足球	tī zúqiú		to play football	1
题	tí	n.	question, problem	9
跳舞	tiào wǔ	v.	to dance	9
W				
外	wài	n.	outer, outside	6
完	wán	v.	to finish, to end	9
玩儿	wánr	v.	to play, to have fun	14
晚上	wǎnshang	n.	evening, night	4
往	wǎng	prep.	to, towards	13

为什么	wèi shénme		why	1
问	wèn	v.	to ask	4
问题	wèntí	n.	question, problem	9
X				
西瓜	xīguā	n.	watermelon	10
希望	xīwàng	v.	to hope, to wish	9
洗	xǐ	v.	to wash, to bathe	10
小时	xiǎoshí	n.	hour	7
笑	xiào	v.	to smile, to laugh	13
新	xīn	adj.	new	1
姓	xìng	v.	family name, surname	11
休息	xiūxi	v.	to have or take a rest	2
雪	xuě	n.	snow	12
Y				
颜色	yánsè	n.	color	3
眼睛	yǎnjing	n.	eye	1
羊肉	yángròu	n.	mutton	6
药	yào	n.	medicine, drug	2
要	yào	aux.	to want to, would like to	1
也	yě	adv.	also, too	1
一下	yíxià	num.-m.	*used after a verb, indicating an act or an attempt*	3
已经	yǐjīng	adv.	already	4
一起	yìqǐ	adv.	together	1
意思	yìsi	n.	meaning	5
因为	yīnwèi	conj.	because, since	6
阴	yīn	adj.	overcast, cloudy	15
游泳	yóu yǒng	v.	to swim	6
右边	yòubian	n.	right, right side	11
鱼	yú	n.	fish	5
远	yuǎn	adj.	far, distant	7
运动	yùndòng	n./v.	sport; to take physical exercise, to work out	1
Z				
再	zài	adv.	again, once more	8
早上	zǎoshang	n.	morning	2
丈夫	zhàngfu	n.	husband	3

找	zhǎo	v.	to look for	8
着	zhe	part.	*used to indicate a state*	13
真	zhēn	adv.	really, indeed	3
正在	zhèngzài	adv.	in the process of	10
知道	zhīdào	v.	to know	2
准备	zhǔnbèi	v.	to intend, to plan	5
走	zǒu	v.	to walk	7
最	zuì	adv.	most, to the greatest extent	1
左边	zuǒbian	n.	left side	3

专有名词 Proper Nouns

词语 Word/Phrase	拼音 *Pinyin*	词义 Meaning	课号 Lesson
		H	
花花	Huāhua	*name of a cat*	1
		Y	
杨笑笑	Yáng Xiàoxiao	*name of a person*	13

超纲词 Words Not Included in the Syllabus

词语 Word/Phrase	拼音 *Pinyin*	词性 Part of Speech	词义 Meaning	课号 Lesson	级别 Level
			B		
*班	bān	n.	class, grade, team	13	三级
			D		
*度	dù	n.	degree	12	
			F		
*粉色	fěnsè	n.	pink	3	六级
			G		
*更	gèng	adv.	more, to a greater extent	15	三级
*公斤	gōngjīn	m.	kilogram	6	三级
*过	guò	v.	to pass (time), to spend (time)	7	三级
			H		
*欢迎	huānyíng	v.	to welcome	9	三级

			J		
*接	jiē	v.	to receive, to take, to accept	4	三级
*经常	jīngcháng	adv.	often, frequently	6	三级
			M		
*米	mǐ	m.	meter	2	三级
			N		
*拿	ná	v.	to hold, to take, to bring	13	三级
			Y		
*以后	yǐhòu	n.	after, afterwards, later	5	
*一直	yìzhí	adv.	straight, all long	13	三级
			Z		
*长	zhǎng	v.	to grow, to develop	13	三级
*自行车	zìxíngchē	n.	bike	6	三级

旧字新词 New Words Made Up of Characters Learned before

来自本册 From This Book

新词 New Word	拼音 *Pinyin*	词性 Part of Speech	词义 Meaning	课号 Lesson	旧字 Learned Characters
			B		
帮	bāng	v.	to help, to assist	4	帮助
不错	búcuò	adj.	pretty good	5	不、错
			C		
出院	chū yuàn		to leave hospital, to be discharged from hospital	2	出、医院
			F		
粉	fěn	adj.	pink	3	粉色
			H		
红色	hóngsè	n.	red	3	红、颜色
			L		
路口	lùkǒu	n.	crossing, crossroads	13	路、口
			S		
手	shǒu	n.	hand	13	手表、手机
			W		
外面	wàimiàn	n.	outside	5	外、后面、前面
			X		
新年	xīnnián	n.	New Year	15	新、年
			Y		
有意思	yǒu yìsi		interesting, fun	14	有、意思

补充 Supplementary Vocabulary

新词 New Words	旧字 Learned Characters
白色	白
	颜色
茶馆儿	茶
	宾馆
电视机	电视
	手机
房子	房间
	杯子
黑色	黑
	颜色
鸡蛋面	鸡蛋
	面条
鸡肉	鸡蛋
	羊肉
进站	进
	火车站
咖啡馆儿	咖啡
	宾馆
旅馆	旅游
	宾馆
面馆儿	面条
	宾馆

新词 New Words	旧字 Learned Characters
哪边	哪
	旁边、左边、右边
那边	那
	旁边、左边、右边
奶茶	牛奶
	茶
女孩儿	女
	孩子
听歌	听
	唱歌
洗手	洗
	手表、手机
下班	下
	上班
游泳馆	游泳
	宾馆
早饭	早上
	米饭
这边	这
	旁边、左边、右边